D0833815

COMMENT DEVENIR UN HÉROS

LT. O'HARE

COMMENT DEVENIR UN HÉROS

SAM MARTIN

Traduit de l'anglais par

PATRICK MERCADAL

Édition originale
Copyright © Elwin Street Limited 2008

Elwin Street Limited
144 Liverpool Road
London N1 1LA
www.elwinstreet.com

Tous droits réservés.

Conception maquette originale : Alchemedia Design
Illustrations : David Eaton
Crédits photos : Corbis – 8, Getty Images – 12, 24, 26, 33, 39, 44, 48, 53, 57, 64, 69, 76, 80, 86, 93, 94, 98, 108, 110, 117.

Éditions française :
© 2008, Éditions Jean-Claude Lattès pour la traduction française

Traduction : Patrick Mercadal
Suivi éditorial : Brigitte Brisse
Mise en page : Thomas Winock

Imprimé à Singapour

ISBN 978-2-7096-3035-1

SOMMAIRE

INTRODUCTION

En janvier 2007, un maçon de New York âgé de cinquante ans nommé Wesley Autey saute sur les voies du métro pour sauver un étudiant de vingt ans tombé du quai, victime d'un malaise. Tandis que la rame de la ligne 1 arrive à grande vitesse, Autey saisit le jeune homme, le tire entre les rails et s'allonge sur lui durant le passage du train. Quand il s'arrête, tous deux s'extraient en rampant de leur mauvaise posture. L'étudiant est indemne. Autey devient sur-le-champ un héros.

En feriez-vous autant ? Difficile de répondre à cette question, car le temps de se la poser, il est déjà trop tard. En d'autres termes, je ne suis pas sûr qu'Autey, le héros du métro, ait pris le temps de réfléchir avant d'agir. Il a vu une personne en danger et l'a sauvée – c'est le propre des héros. Ils ne s'abandonnent pas à la réflexion.

Attention, il ne s'agit pas de dire que les héros sont stupides – réagir de manière instinctive n'implique pas la stupidité. Au contraire, il faut plutôt être fin prêt. La chance a sans doute joué son rôle dans l'histoire, mais comme le dit l'adage, la chance sourit aux audacieux.

Je suppose qu'Autey est un usager régulier du métro. En fait, il doit même le prendre une, voire deux fois par jour, depuis des années, peut-être des décennies. Durant tout ce temps passé à attendre sa rame, il a dû imaginer que quelqu'un chutait sur la voie et se demander comment il s'y prendrait pour intervenir. Il a dû remarquer aussi le creux entre les rails, l'estimer avec précision, d'après son expérience de maçon, et décider qu'un homme pourrait s'y réfugier sans risque durant le passage d'un train.

Je veux suggérer que, d'une certaine manière et qu'il le sache ou non, Autey était préparé à une intervention d'urgence. Il n'a sans doute pas participé à des exercices de sauvetage dans le métro, et pourtant, il faut du courage et de l'assurance pour sauter sur les voies – vous en seriez convaincu si vous connaissiez le métro de New York, dégoûtant et infesté de rats. Tout cela pour dire qu'Autey était prêt. Il savait quoi faire et il l'a fait.

Alors, avis à tous les héros en herbe. Si vous pensez avoir le potentiel, mais manquez d'encouragements pour vous préparer à porter secours, cet ouvrage est pour vous. Ses pages renferment un savoir-faire qui vous apprendra à agir ou réagir en cas d'urgence, et dans toute situation où l'héroïsme est de mise. Il répertorie les divers modèles de héros existants, afin de choisir celui qui vous convient le mieux.

Parfois, un héros doit d'abord se sauver lui-même avant d'aider les autres, un chapitre entier est donc consacré aux pratiques de survie. Et, bien sûr, aux hommes ne dédaignant pas se montrer galants et attentionnés envers la femme de leur vie, car aucun guide sur l'héroïsme ne serait complet sans quelques pages consacrées au sexe faible. L'attitude chevaleresque prend une tout autre dimension dans la vie de héros.

Quand vous lirez ce livre, pensez que la différence entre un héros et une personne ordinaire consiste à oser. Nous pouvons tous apprendre comment sauver quelqu'un d'un bâtiment en flammes, soigner une blessure par balle, survivre dans des contrées désolées ou danser le tango. Mais ne s'apprennent pas le courage et la volonté de courir des risques pour le bien-être des autres. Vous devrez les acquérir sur le tas.

Enfin, ne vous imaginez pas qu'un héros doit quitter son travail pour arpenter les rues en quête de malfaisants. On a besoin de lui chaque jour, en tous lieux. Pour aller chercher les enfants à l'école, ramener un salaire au foyer, préparer un petit dîner pour sa chérie ou pourchasser un agresseur. Un héros doit d'abord commencer par aimer la vie. Et ensuite, se lâcher à fond.

CHAPITRE

1

JOUER LE JEU

On me pose toujours la même question : un héros doit-il se battre contre des alligators ? Si cela peut aider (à condition de gagner), ce n'est pas nécessaire. En fait, la plupart des actes héroïques sont plutôt courants, comme aider une dame âgée à traverser la rue ou récupérer le chat du voisin dans un arbre. Le meilleur moyen de devenir le héros adapté à votre personnalité, c'est d'être vous-même. Si vous ignorez qui vous êtes, les pages suivantes vous proposent divers modèles pour vous aider à découvrir le héros qui sommeille en vous.

L'APPARENCE DU HÉROS

Les héros sont de tous types, tailles, formes et couleurs. Donc, à moins de vouloir porter cape et large ceinture dorée, il n'existe ni tenue ni style (ni héros) particuliers. C'est que nous, les héros, n'avons pas le temps de nous ruer dans une cabine téléphonique pour nous changer. On y va comme on est, en cravate ou avec une serviette autour de la taille. Cela dit, quelques idées ne font pas de mal. Et si vous tenez absolument à jouer les super héros, achetez du tissu et trouvez une bonne machine à coudre. Ensuite, fiez-vous à votre inspiration.

Comment s'habiller

1. De solides bottes et/ou chaussures. C'est peut-être l'unique accessoire qui s'avèrera décisif s'il vous faut courir après un voleur de sac à main ou vous jeter dans la circulation pour sauver un enfant en péril.

2. Des jeans. Les jeans sont en coton et ne brûlent pas facilement. Pratiques pour se ruer dans un immeuble en feu, ou si vous êtes à bord d'un avion qui s'écrase. Et vous risquez moins de vous faire agresser dans une ruelle sombre en portant un jean qu'un costume en lin blanc.

3. Veste et chemise élégantes. En cas d'urgence ou de catastrophe, vous souhaiterez prendre les opérations en main et les gens vous considèreront davantage si vous présentez bien, comme un *officiel*.

4. Des lunettes de soleil. Elles dissimulent les yeux et vous permettent de masquer votre surprise si vous êtes braqué. Ou si vous devez arpenter une plage pour veiller à la sécurité d'une myriade de femmes en bikinis.

5. Une montre. Indispensable pour synchroniser une action conjointe, savoir le temps qu'il reste avant que la bombe n'explose, et être à l'heure au dîner d'anniversaire de votre chère et tendre.

EXPRESSIONS ET POSTURES CONSEILLÉES

Une fois la tenue déterminée, il est temps de travailler les expressions faciales et les postures. Oui, cela fait la différence. Parfois, rien n'est plus efficace qu'un regard noir ou un ton méchant, surtout s'il s'agit d'intimider de soi-disant bandits, voire des agresseurs. Entraînez-vous devant un miroir afin d'acquérir l'air convaincant, indispensable pour faire peur au voyou et non l'inciter à vous en coller une.

Si vous invitez une fille à danser ou que vous évitez un accident de voiture à mamie, oubliez le regard noir. Personne n'aime les héros qui cabotinent. Quand vous allez aider les gens, vous cherchez en général à les mettre à l'aise, à les apaiser. Mieux vaut donc opter pour un sourire rassurant. Le sourire est toujours le bienvenu, il détend l'atmosphère, et énerve même parfois les braqueurs de banque.

Quant à la bonne posture, vous devez inspirer la peur, dégager confiance et détermination. Chaque fois que vous êtes confronté au danger, écartez légèrement les jambes et répartissez bien votre poids sur les deux pieds. Vous voilà sur de bons appuis, prêt à bondir.

Vous pouvez estimer que le risque est perpétuel et décider de vous tenir ainsi en toute circonstance. Libre à vous. Posez alors vos mains sur les hanches, vous voilà maintenant paré d'une attitude de super héros du plus bel effet.

LES RÔLES À ÉVITER

À l'image de Luke Skywalker, partisan de la Force, et de Dark Vador, adepte du Côté Obscur, les héros empruntent des voies divergentes. Toutes sont accessibles aux débutants, évitez par conséquent de vous engager à la légère, faites le bon choix et essayez de vous y tenir. Vous n'aimeriez pas connaître des débuts fracassants, puis commettre quelques erreurs et périr ou devenir trop cynique à cause d'un ego exacerbé ajouté à un sentiment d'ingratitude, pour finir par basculer dans le camp des méchants. Les statistiques sont formelles, c'est presque toujours le bon qui gagne à la fin.

LES QUALITÉS DU HÉROS

Aucune obligation de ressembler à M. Muscle pour être un héros. Ils sont de tailles et de morphologies diverses. Peu importe l'idée que vous avez de votre physique, vous avez de bonnes chances de posséder certaines des qualités requises. Elles ont peu évolué au fil du temps, et restent des caractéristiques essentielles, que l'on aspire ou non au statut de héros. Si vous n'avez aucune de ces vertus, pas d'inquiétude. Elles s'acquièrent.

Qualités du héros	
Détermination	Montrer une grande fermeté d'intention et d'action.
Loyauté	Ne jamais trahir sa fidélité à une cause, un combat ou une personne.
Courage	Braver sans peur le danger.
Engagement	Faire preuve d'un engagement irréprochable envers quelqu'un ou une cause.
Dévouement	Faire passer son sort personnel après l'intérêt général.
Vaillance	Consacrer toute son énergie au service d'une cause ou d'un but.
Bravoure	Partir à l'aventure gaillardement, le cœur joyeux.
Persévérance	Afficher une volonté sans faille en dépit des obstacles.
Mental	Garder un moral de vainqueur malgré la souffrance ou l'adversité.
Sens du sacrifice	Accepter de renoncer à son plaisir personnel pour servir une cause commune.

HÉROS MODÈLES

Il est bon d'avoir des modèles, des références qui nous inspirent, des exemples qui nous montrent comment mener une vie héroïque. Et qu'importe le domaine, il existe toujours quelqu'un qui a déjà fait le boulot, à bon escient et avec la manière. Voici quelques héros célèbres.

Héros célèbres	
Nelson Mandela	Mandela fut et demeure un héros car il incarna un idéal : tous les hommes sur Terre naissent libres et égaux en droit. Personne n'avait autant marqué l'Histoire depuis Abraham Lincoln.
Oskar Schindler	Dans la folie et la persécution sévissant en Europe lors de la Deuxième Guerre mondiale, Schindler fit preuve d'héroïsme et d'humanité en sauvant 1 200 Juifs de la déportation dans les camps de la mort nazis. Ce héros n'hésita pas à sacrifier sa fortune et risquer bien des fois sa vie pour les autres. Quel qu'en soit le coût.
Mohandas Gandhi	Si vous parvenez à devenir un immense héros qui suscite d'autres vocations de héros, alors vous resterez dans les annales. C'est le cas de Gandhi, qui libéra l'Inde de la tutelle britannique, et en prônant la non-violence s'il vous plaît. Ce qui inspira Martin Luther King et Nelson Mandela.
Bill Gates	Si richesse rimait avec héroïsme, alors Bill Gates serait le plus grand des héros. Mais faire fortune n'est pas aussi noble que la consacrer à de justes causes. La fondation du couple Gates verse des millions pour soigner la malaria et le SIDA dans les pays pauvres.

Winston Churchill	Courageux face à l'adversité, Churchill dirigea la résistance de l'Europe contre les nazis d'Allemagne, refusant de laisser le fascisme s'étendre sur la planète.
Pelé	*Le* plus grand footballeur de tous les temps. Pelé prouva que l'on peut naître dans une favella et devenir une idole. Et que la couleur de la peau n'empêche pas de réussir, à condition de travailler dur et d'avoir du talent.
Ernest Hemingway	Hemingway est un écrivain à part dans la littérature du XXe siècle. Ses romans sur la boxe, la chasse et les voyages ont accompagné toute une génération.
Sir Edmund Hillary	Les exploits périlleux furent longtemps synonymes d'héroïsme. Hillary devint donc un très grand héros, le premier homme à atteindre le toit du monde après son escalade de l'Everest en 1953. Il fut anobli par la reine Elizabeth d'Angleterre peu après.
Neil Armstrong	Il y a quand même un certain héroïsme à s'enfermer dans une fusée et partir pour la Lune. Armstrong le fit, il fut le premier homme à marcher sur une autre planète.
Muhammad Ali	Né Cassius Clay, certains prétendent qu'Ali était le plus grand boxeur de tous les temps. Il était en tout cas le plus controversé et le plus imprévisible. Il a perdu et reconquis trois fois le titre de champion du monde des poids lourds entre 1964 et 1978. Depuis, il consacre son temps et son argent à des justes causes. Ali reçut la médaille présidentielle de la Liberté en 2005.
William Wilberforce	Membre du Parlement anglais à la fin du XVIIIe et au début du XIXe siècle, cet homme mena la lutte pour mettre un terme au commerce britannique d'esclaves, montrant ainsi un formidable exemple de compassion.

TYPES DE HÉROS

Quel type de héros êtes-vous ? Eh bien, cela dépend si vous dirigez une équipe dans un bureau, si vous préférez l'action ou si vous devez vous occuper d'enfants en rentrant chez vous (sans doute l'exemple le plus héroïque des trois). Bien sûr, les porteurs de cape dotés d'une vision à rayons X forment un groupe à part. Si cela vous concerne, allez directement au chapitre 4 : *Les Situations d'Urgence* – et laissez-nous notre petite place au soleil.

LE CHEF DE FAMILLE

On désignait par chef de famille celui qui faisait bouillir la marmite. Maintenant, gagner de l'argent n'est plus héroïque. Les chefs de famille ont d'autres préoccupations qu'alimenter le compte courant. Ils doivent aussi régler les factures ET s'intéresser au bien-être ainsi qu'à l'équilibre des autres membres de la famille. Cela ne signifie pas que tous sont incapables de se prendre en main, ils ont juste besoin de soutien et d'encouragement. Le chef de famille remplit en général les rôles suivants :

QUALITÉS DE BASE

- ✓ Gardien. Il veut protéger le mode de vie et les valeurs de la famille, de même que le bien-être physique et moral de chacun.
- ✓ Meneur. Il décide où la famille part en vacances, il est le premier à remarquer les petits soucis domestiques, comme les toilettes bouchées, et à les régler aussitôt, pour ainsi dire.
- ✓ Exemple. Son attitude positive, ses mots encourageants et ses actes héroïques servent de modèle à toute la famille.

LE ROMANTIQUE

La plupart des héros, qu'importe leur type, n'ont aucun mal à tourner la tête les filles. Ils dégagent beaucoup de séduction à faire le bien en prenant des risques ou en faisant fortune pour ensuite aider les nécessiteux. Mais séduire une femme n'est pas l'apanage du romantique. En fait, la plupart des héros, qu'ils l'admettent ou non, sont de grands tendres. Passionnés dans leurs actes, attentifs aux besoins des autres, ils constituent un genre à part. Vous souhaitez savoir si le héros que vous connaissez est un romantique, alors vérifiez s'il possède les traits suivants :

QUALITÉS DE BASE

- ✓ La passion. Parfois pour une femme, le plus souvent pour une cause, mais toujours profonde au point d'échapper à son contrôle.
- ✓ La sensibilité. Le héros romantique dissimule une personnalité douce et vulnérable sous sa carapace. Mais ne vous y trompez pas, bien des chagrins et des désirs sont tapis sous la surface.
- ✓ Le flegme. Nous sommes tous humains, même les plus héroïques d'entre nous, donc nous commettons tous des erreurs. Mais quand les choses se gâtent pour un héros et qu'il se retrouve en mauvaise posture, il parvient toujours à se ressaisir.
- ✓ La solitude. La majorité des gens ayant réussi vit selon ses propres règles, des règles fondées sur un code moral inébranlable. Par conséquent, ils sont souvent rejetés très tôt par leurs pairs et leur milieu.
- ✓ Les états d'âme. Parce qu'il suit ses propres règles, un héros se débat souvent entre le besoin d'amour et le désir de ne pas compromettre sa quête de grandeur. Cet antagonisme engendre parfois des héros mélancoliques et lunatiques.

L'HOMME D'ACTION

Le rôle d'homme d'action n'est pas de tout repos. Il faut accepter de prendre des coups si l'on en donne. Mais, les muscles ne font pas tout. Il faut également avoir du charisme. Et d'autres aptitudes. Sinon, qui vous suivra à travers le sas de secours et vous accordera sa confiance pour désamorcer la bombe ? Un homme d'action possède les caractéristiques suivantes :

QUALITÉS DE BASE

- ✓ Le charisme. Les hommes d'action doivent convaincre les gens de leur accorder une confiance aveugle.
- ✓ La forme. Condition physique et force éprouvées s'imposent pour s'agripper à un hélicoptère ou se hisser sur le toit d'un TGV en marche.
- ✓ L'endurance. Pouvoir soulever 100 kilos de fonte ne sert à rien quand il s'agit de courir 40 kilomètres.
- ✓ L'adversaire. Tous les bons hommes d'action ont une Némésis à la fois riche et de haut rang. Personne n'a dit que c'était facile d'être un héros.
- ✓ Les capacités physiques. Vous devez savoir faire une prise de judo et vous montrer suffisamment agile pour qu'on vous engage dans la production de films d'arts martiaux à gros budget.
- ✓ Les connaissances. Un homme d'action doit bien se documenter. Aucun soi-disant James Bond ne s'aventurerait en territoire ennemi sans savoir comment charger et utiliser une multitude d'armes à feu, conduire une voiture sur deux roues, franchir un petit précipice à moto, désamorcer des ogives nucléaires, piloter des avions et des hélicoptères, et se métamorphoser en clone parfait du dernier gangster en date.

LE CAPITAINE D'INDUSTRIE

Le terme « capitaine d'industrie » provient de la révolution industrielle. Il se référait alors aux grands hommes d'affaires qui s'enrichissaient à la folie tout en influençant la politique du gouvernement. La plupart de ces héros ont réussi grâce à leur grande capacité de travail, leur sens des affaires et leur créativité. Telle est la recette pour devenir un grand capitaine d'industrie. Tous partagent certaines facultés, les jeunes comme les anciens.

QUALITÉS DE BASE

- ✓ Le sens du commandement. Soyez un chef indiscutable afin d'inciter les autres à vous suivre dans vos projets.
- ✓ Les objectifs. Définissez bien vos objectifs, ainsi vous savez où vous allez, et les autres où vous les menez.
- ✓ Le savoir. Connaissez votre secteur d'activité. On ne devient pas le meilleur dans son domaine sans en maîtriser les arcanes.
- ✓ L'innovation. Innovez, inventez, créez. Si les clés du succès étaient évidentes, tout le monde serait déjà sur la voie de la fortune.
- ✓ La charité. Ne négligez pas une certaine philanthropie une fois devenu riche, consacrez votre argent à de justes causes.
- ✓ L'engagement. Un homme d'affaires ne se plaint pas des heures de travail pour parvenir au succès. Préparez-vous à passer de longues heures dans votre bureau en vue de régner sur le marché. Vous pourrez toujours prendre des vacances pour fêter votre premier million.

LE SPORTIF

Les dieux du stade occupent une place à part dans le monde car ils accomplissent leurs exploits, sur un terrain ou un court, devant des milliers de spectateurs. Nous assistons aussi bien à leurs triomphes qu'à leurs échecs. Cela dit, le véritable héros sportif ne se limite pas à l'athlète. Vous pouvez être le plus athlétique de la planète, si vous ne saisissez pas les subtilités du jeu, vous perdrez. Ces héros possèdent l'incroyable capacité de vaincre au final après avoir frisé la correctionnelle tout du long. Ils possèdent les attributs suivants :

QUALITÉS DE BASE

- ✓ L'initiative. Un sportif devient rarement un héros sans le soutien de ses équipiers, mais c'est à lui de leur montrer le chemin de la victoire par son talent et sa motivation, afin d'amasser les trophées.
- ✓ La passion. On ne s'impose pas en sport sans être un passionné, et le héros sportif a une passion à partager. On le reconnaît à l'énergie qu'il déploie sur le terrain et à sa combativité de tous les instants.
- ✓ Le talent. Les dieux du stade maîtrisent le jeu à la perfection, aussi bien sur le plan mental que physique.
- ✓ Le mental. Si vous abandonnez à la première défaite, vous ne gagnerez jamais. Le héros sportif se construit au fil des années, et se donne à fond en compétition jusqu'à ce qu'il décroche la timbale.
- ✓ Le fair-play. Si, au sortir d'une défaite, vous hurlez des injures et manquez de respect à vos adversaires, vous n'êtes pas un héros. Une idole serre la main de son opposant et lui dit : « Bien joué, j'espère vous rencontrer à nouveau la saison prochaine. »

L'INTRÉPIDE EXPLORATEUR

L'essence de l'exploration tient dans le désir de découvrir (voire d'enregistrer) par soi-même des lieux fort méconnus. L'intrépide explorateur entreprend ces expéditions, souvent empreintes de grands périls. Si l'on considère que seuls quelques endroits au monde demeurent toujours inconnus, notre téméraire héros ne reculera devant rien, quitte à prendre des risques insensés pour les atteindre. Il mettra aussi sa vie ou son intégrité physique en danger pour tenter des exploits jamais accomplis, comme battre le record de vitesse sur piste ou faire le tour du globe en ballon. Ce genre de comportement demande des atouts particuliers :

QUALITÉS DE BASE

- ✓ Le courage. Quiconque essaie d'escalader l'Everest ou de traverser le Pacifique en planche à voile doit être brave ou fou à lier.
- ✓ L'organisation. Obligatoire avant toute expédition. L'intrépide explorateur est un maître *es* préparatifs qui envisage toute éventualité.
- ✓ Les ressources. Contacts pour pénétrer des contrées incertaines, argent et temps disponibles pour voyager des semaines ou des mois chaque année dans le monde entier sont de rigueur chez l'explorateur. Il a aussi les moyens de se payer une assurance-vie premium au tarif exorbitant.
- ✓ La foi. Les préparatifs effectués, notre héros doit garder une foi absolue en sa quête. C'est incontournable, sinon il ne se lancerait peut-être pas aussi souvent dans l'inconnu.

LE SUPER HÉROS

Un super héros dispose forcément de supers pouvoirs ou de supers talents, comme la vision à rayons X, ou la capacité de toujours savoir exactement ce que veulent les femmes. Si de tels talents vous sont étrangers, vous pouvez toujours jouer au super héros en cape et en collant, vous serez néanmoins catalogué agent costumé des forces du bien. Si vous suspectez quelqu'un de posséder des supers pouvoirs, affinez votre opinion en guettant les aptitudes suivantes :

QUALITÉS DE BASE

- ✓ Les capacités surhumaines. Voler, passer à travers les murs, devenir invisible, soulever une voiture d'une seule main, faire jaillir le feu de ses doigts, etc.
- ✓ L'équipement. Des gadgets véritablement high-tech, du genre jamais vus, portés en général dans une ceinture utilitaire.
- ✓ Le costume. Un masque, des collants et une cape, même en plein jour.
- ✓ Le repaire. Une planque dans un lieu inhospitalier, l'Antarctique par exemple.
- ✓ La célérité. Ne prend jamais le temps de finir sa bière quand une catastrophe majeure frappe la planète.

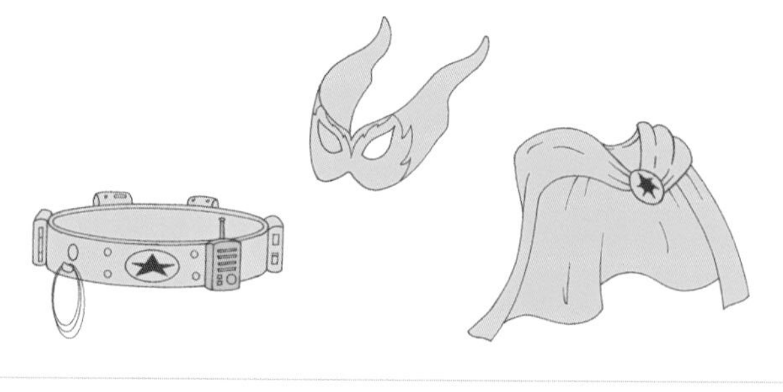

L'ANTI-HÉROS

L'anti-héros est inattendu et non conventionnel. La plupart des gens ne l'aiment pas, mais ils compatissent et comprennent son malheur. Même s'il peut agir parfois comme un voyou, il montre en fait assez de bonnes intentions pour appartenir à l'univers des héros. La frontière entre le méchant et l'anti-héros est parfois confuse. Voici comment reconnaître un anti-héros :

QUALITÉS DE BASE

- ✓ La banalité. Ces gars-là n'ont aucune qualité. Ils sont absolument quelconques sous toutes les coutures, ils se remarquent surtout par leurs côtés ordinaire et dérisoire.
- ✓ La confusion. Ils ne savent jamais ce qu'ils veulent. Ils se retrouvent à jouer les héros par hasard ou par instinct de survie, mais ils ne se risqueront jamais à un acte dangereux.
- ✓ La sournoiserie. Ils ne progressent ou n'assouvissent leurs désirs que par des moyens détournés et lâches.
- ✓ La rébellion. Ils n'entrent dans aucun moule prédéfini. En fait, ils évitent avec soin toute forme d'héroïsme par peur de mourir ou de se blesser.
- ✓ La faiblesse. Il leur manque en général les muscles et le physique avantageux du véritable héros.
- ✓ La rédemption. Malgré toutes ses fautes, l'anti-héros parvient à se retrouver, au final, du bon côté de la loi ou d'une situation souvent *in extremis*.

CHAPITRE

2

LES ATTRIBUTS DU HÉROS

L'instinct, les tripes et la chance sont monnaie courante dans l'univers des héros, de même qu'une dose de savoir-faire. Bien-sûr, ils ont en général plus de connaissances que la moyenne, mais, hormis l'instinct, il ne s'agit pas là d'aptitudes innées. Il suffit d'apprendre certaines choses qui s'avéreront déterminantes à l'occasion. Le tout, c'est d'être fin prêt.

SE TENIR PRÊT

Il est vrai que certains héros se révèlent par un instinct et un courage insoupçonnés lors de grandes détresses. Nous nous prosternons à leurs pieds. Et pourtant, la plupart d'entre nous ne vivent jamais de telles situations. D'un autre côté, les urgences surviennent plus souvent, aussi anodines qu'une fuite de gaz ou aussi graves qu'un séisme. Franchement, quand on y pense, les occasions de devenir un héros abondent. En fait, on pourrait polémiquer sur l'idée que les plus héroïques d'entre nous sont les mieux préparés. Vous voulez être un héros ? Voici deux listes essentielles en cas d'urgence. La première répertorie des articles à garder chez soi, la deuxième ceux à mettre dans un sac au cas où il faudrait évacuer le domicile, entre autres. Vous pouvez aussi emporter les objets portables mentionnés dans la première liste : allumettes, piles et téléphone cellulaire. Conservez tout cela à part dans un sac rangé à portée de main.

Kit d'urgence

LISTE

- ✓ Une lampe torche et des piles de rechange
- ✓ Un téléphone cellulaire et un fixe. Les portables usent de l'énergie
- ✓ Une radio AM/FM et des piles de rechange
- ✓ Un réchaud à charbon ou à gaz et son combustible ou un réchaud de camping
- ✓ Aliments en conserve ou ne nécessitant pas d'être gardés au froid
- ✓ Un ouvre-boîte manuel
- ✓ Un générateur de secours à gaz ou à essence
- ✓ Une réserve d'essence
- ✓ Une réserve d'eau
- ✓ Un sifflet pour attirer l'attention
- ✓ Des allumettes dans une boîte étanche
- ✓ Un briquet
- ✓ Des bougies
- ✓ Un canif
- ✓ Des couvertures
- ✓ Une trousse de secours
- ✓ Une glacière en cas de coupure d'électricité
- ✓ Des radiateurs d'appoint à gaz ou à essence

Suite page 28

suite

- ✓ Une réserve de bois si vous avez une cheminée
- ✓ Un réveil à pile ou qui se remonte
- ✓ Chéquiers, cartes de paiements et, plus important, des espèces (les DAB sont hors service lors d'une panne d'électricité)
- ✓ Un demi-plein d'essence dans la voiture en permanence

ASTUCE

- ✓ C'est toujours une bonne idée de garder un kit d'urgence portable facile d'accès. Si vous devez quitter votre domicile séance tenante, il suffit juste de le prendre en partant. Évidemment, il n'est pas question de déménager, mais d'emporter ce que vous pouvez. Il est judicieux de prévoir des aliments qui ne se conservent pas au froid, des doubles de clés de la maison et de la voiture, environ 5 litres d'eau par personne, une carte de la région, un rouleau de papier toilettes ou une boîte de mouchoirs en papier, des photocopies des documents importants tels passeports et cartes d'identité, ainsi qu'un répertoire des noms, adresses et numéros de téléphone utiles en cas d'urgence.

ÉVACUATION-INCENDIE

Un héros doit s'efforcer de prévenir les incendies, mais comment prévoir que l'oncle Fred allume un cigare avant de s'assoupir. À présent, les rideaux sont en feu, l'extincteur est vide et l'installation électrique commence à fondre. Il faut évacuer d'urgence.

À prévoir

- Une feuille de papier
- Un stylo
- Une pochette plastique
- Des punaises

COMMENT FAIRE

1. Pour élaborer un itinéraire d'évacuation, dessinez le plan de la maison sur un papier, pièce par pièce. Précisez leur nom et la position de chaque porte et fenêtre.
2. Écrivez en majuscules « ISSUE » sur chaque porte donnant à l'extérieur.
3. Testez les voies d'évacuation pour déterminer les plus rapides. Fléchez le trajet sur le plan afin de signaler à chacun l'itinéraire d'évacuation à suivre.
4. Prévoyez un lieu où vous retrouver, chez le voisin ou à la boutique du coin de la rue. Un endroit loin des flammes, où vous regrouper et vérifier que tout le monde est bien là.
5. Assurez-vous que toute la maisonnée connaît bien le plan d'évacuation pour avoir reconnu l'itinéraire. Puis insérez-le dans la pochette plastique et affichez-le dans un endroit adéquat, près du réfrigérateur ou de la porte de derrière.

RÉPARER UNE CANALISATION

Cela n'est pas aussi grave qu'une artère fémorale sectionnée, mais des tuyaux fissurés constituent une urgence, et savoir les réparer est essentiel. Surveillez-les quand la température descend en dessous de zéro, car l'eau qu'ils renferment risque, en gelant, de provoquer fissures ou éclatements. Vous devrez alors rafistoler temporairement – il existe plusieurs moyens – puis appeler un plombier.

À prévoir

- De l'adhésif
- De la colle époxy ou en pâte
- Un serre-joint
- Des morceaux de caoutchouc
- Un tournevis
- Le numéro de téléphone d'un bon plombier

COMMENT FAIRE

1. S'il s'agit d'une petite fissure, colmatez-la avec du ruban adhésif sans couper l'alimentation d'eau principale. Assurez-vous que chaque tronçon d'adhésif recouvre bien le précédent quand vous l'enroulez autour de la fente.

2. Un colmatage plus durable s'obtient avec de la colle époxy ou en pâte, vendue en magasin, surtout si la fuite survient près d'un joint. Avant d'appliquer la colle, il faut couper l'eau, puis bien sécher et nettoyer le tuyau.

3. En cas de fissure plus large, coupez l'eau, couvrez la fuite avec un morceau de caoutchouc que vous enroulez aussi autour du tuyau. Puis, maintenez l'assemblage en place à l'aide d'un serre-joint en C placé de part et d'autre de la conduite, sur le caoutchouc. Si vous n'avez pas le bon serre-joint, un collier de serrage fera l'affaire.

4 Si vous avez coupé l'eau pour réparer, rouvrez-la et assurez-vous que la section réparée ne fuie plus du tout.

ASTUCE

✓ Évitez aux tuyaux d'éclater à cause du gel en installant un robinet d'arrêt et de vidange sur l'alimentation. Cela permet de purger les canalisations en prévision de basses températures. Vous pouvez aussi isoler les installations extérieures ou en sous-sol avec des mousses plastiques ou tout autre matériau spécifique.

CHANGER UNE ROUE

Se retrouver en rase campagne avec une roue à plat n'est déjà pas des plus engageants, mais ne pas savoir la changer tourne au cauchemar. Tous les aspirants héros doivent en être capables. Et n'hésitez pas à desserrer et serrer les écrous en forçant du pied sur la clé en croix si nécessaire.

À prévoir

- Un tournevis à tête plate
- Une clé en croix
- Un crick
- Une roue de secours

COMMENT FAIRE

1. Prenez la roue de secours, le crick, la clé et le tournevis dans le coffre.
2. Utilisez le tournevis ou l'extrémité plate de la clé pour enlever l'enjoliveur, s'il y en a un.
3. Desserrez les écrous de la roue à plat à l'aide de la clé. Ne les ôtez pas aussitôt, mais quand l'un est dévissé, passez à l'écrou opposé et desserrez-les ainsi l'un après l'autre.
4. Placez le crick près de la roue à changer. (Indiqué dans la plupart des manuels d'usage du véhicule.)
5. Actionnez le crick afin de lever l'auto pour avoir la place d'enlever la roue crevée et de mettre la roue de secours.
6. Enlevez les écrous, puis retirez la roue.
7. Posez la roue de secours. Baissez l'auto, replacez les écrous et serrez-les bien.

FAIRE ET NE PAS FAIRE

- ✓ Vérifiez toujours avant de prendre la route que vous avez dans le coffre une roue de secours en bon état et un crick qui fonctionne.
- ✓ Garez-vous bien en sécurité, puis actionnez les feux de détresse durant l'opération afin de ne mettre en danger ni votre vie ni celle des autres.

MARQUER UN BUT

Peu de choses dans la vie procurent autant d'euphorie et de gloire que faire trembler les filets du but adverse. Durant les instants qui suivent, on grimpe au firmament, on est un héros. Mais il faut un minimum d'entraînement, de talent, et parfois de réussite, pour marquer un but. Alors, pour se retrouver sous les feux des projecteurs, il faut prendre le temps de s'entraîner. On s'amuse toujours beaucoup sur un terrain de football, mais si l'on devient maître buteur, l'expérience n'en est que plus gratifiante.

QUE FAIRE

1. Une occasion de but peut survenir à tout moment dans le match, aussi bien au terme d'un exploit que par pur hasard. Dans ces situations, il faut savoir quand garder le ballon (et la gloire) pour soi-même ou le passer à un partenaire mieux placé. Si vous voyez une brèche dans la défense ou le gardien mal placé, n'hésitez pas à tirer.

2. Créez vous-même une occasion en vous jouant de vos adversaires. Si les défenseurs vous serrent de près, ils vont entraver votre action et certainement vous tacler. Essayez de les semer ou accomplissez quelques dribbles balle aux pieds pour les éliminer.

3. Il faut bien frapper dans le ballon. Un pointu, qu'il soit puissant voire précis, n'est pas un geste technique. Alors, même si vous marquez, personne ne vous reconnaîtra un quelconque talent. Pour bien tirer, le pied d'appui doit être à hauteur du ballon, il faut taper avec le cou-de-pied, et poursuivre dans la direction souhaitée le geste après contact. C'est tout un art, alors entraînez-vous.

4 Il est également possible de marquer de la tête. L'idée, c'est de sauter plus haut que le ballon afin de le rabattre d'un coup de tête vers le but. Dans ce cas, il faut frapper le ballon avec le front. Si vous le prenez sur le haut du crâne, il ira n'importe où, et dans le visage, ça fait mal. Très mal.

5 Il est essentiel de bien se situer par rapport au but. Mettre le ballon au fond des filets demande la prise en compte instantanée de diverses données : la distance, l'angle, la position des défenseurs et du gardien. Il faut ensuite réussir une frappe puissante, cadrée et précise en fonction de ces paramètres.

FAIRE ET NE PAS FAIRE

✓ S'entraîner. Les techniques pour marquer des buts sont nombreuses, alors apprenez-les toutes.

✗ Ne pas grogner ou ne pas crier au moment de la frappe, vous auriez l'air d'une joueuse professionnelle de tennis.

✗ Ne pas fermer les yeux, ne pas mouliner des jambes ou ne pas taper dans le ballon avec le bout du pied. Ça fait amateur et vous ne marqueriez sans doute pas.

✓ Jubiler, c'est bien mérité. Éviter de se lancer dans une danse endiablée, remercier plutôt tous les joueurs qui ont participé à l'action. (Seulement vos coéquipiers, bien sûr.)

✗ Éviter l'allégresse trop démonstrative. Les gens penseraient qu'il s'agit de votre premier but. Sans parler de l'embarras éventuel si vous vous blessez en exécutant avec trop d'enthousiasme une chorégraphie improbable.

AUTODÉFENSE

Dans la vie, un homme doit parfois se défendre ou protéger quelqu'un. Durant ces périodes périlleuses, posséder des notions d'autodéfense s'avère toujours très utile. Un bon coup de pied de karaté, précis et délivré au bon moment, permet d'immobiliser l'adversaire tout en demeurant sur la défensive. Ce geste est également plus digne qu'une rixe ou qu'un violent coup de boule. Et bien asséné, il calme un agresseur sur-le-champ.

À prévoir

Un pantalon ample

Des membres souples

Canaliser son agressivité

COMMENT FAIRE

1. Le coup de pied latéral est certainement le plus connu et le plus facile des coups de pied de karaté. C'est le geste idéal pour garder l'assaillant à distance, il est facile à réaliser.
2. Les parties à viser dépendent de votre souplesse et de la proximité de l'adversaire. Un bon pratiquant peut asséner un coup de pied à hauteur de tête, mais il existe d'autres points vitaux relativement dissuasifs : les genoux, le nez, l'estomac et le plexus solaire.
3. Présentez-vous de côté face à l'adversaire, les jambes écartées à 45 degrés. Cette posture vous assure de bons appuis pour délivrer le coup de pied.
4. Levez la jambe jusqu'à ce que le genou touche presque votre torse.

Un peu comme un ressort qui se tend pour emmagasiner de la puissance et de l'énergie.

5. Puis, avec précision et vivacité, envoyez le pied vers votre cible, en gardant bien présent à l'esprit de frapper avec le talon.

6. Repositionnez-vous immédiatement après contact, afin d'être prêt à recommencer si l'assaillant n'a pas bien saisi la leçon.

FAIRE ET NE PAS FAIRE

✓ Rester calme. Une personne qui panique ou qui a peur perd en efficacité. Si vous angoissez, ce qui sera sans doute le cas, respirez profondément et faites le vide dans votre esprit.

✗ Ne jamais utiliser ses aptitudes d'autodéfense à d'autres fins que se défendre soi-même ou protéger un tiers d'une agression.

MONTER À CHEVAL

Supposons que de méchants extra-terrestres débarquent. Plus une voiture ne circule, Internet et les lignes téléphoniques sont coupés. Comment, alors, délivrer un message crucial ? Enfin, mais à cheval, bien sûr ! Tous les héros doivent savoir monter à cheval. On ne sait jamais quand on peut en avoir besoin.

À prévoir

Un cheval

Une selle

Des rênes

Des fesses en béton

COMMENT FAIRE

1. Si vous avez le temps, vérifiez que les étriers sont à bonne longueur. Pour cela, posez une main sur la boucle de l'étrivière puis, de l'autre, relevez la courroie sous l'aisselle. Le plancher doit venir s'encastrer dans le creux du bras si la longueur est bonne. Si vous n'avez pas le temps, vous allez le regretter.

2. Ensuite, mettez un pied à l'étrier, saisissez le pommeau de la selle (la partie en cuir qui se dresse derrière l'encolure), et passez l'autre jambe par-dessus le cheval. Évitez de lui donner un coup durant la manœuvre, il risquerait de vous retourner une ruade, de partir au galop ou de vous accrocher le flanc, un pied coincé dans l'étrier.

3. Une fois en selle, saisissez les rênes et calez bien vos pieds dans les étriers.

suite page 40

suite

4. Faites avancer le cheval en criant « Yihaa » et en agitant votre chapeau en l'air. Je plaisante. Pressez juste les flancs du cheval avec les chevilles, il partira calmement au pas.

5. Pour passer au trot, pressez à nouveau les flancs du cheval avec vos jambes. Quand il trotte, vous devez vous soulever de selle et vous rasseoir au rythme de ses mouvements. Le trot est une allure en deux temps, et si vous n'êtes pas dans le tempo, la chevauchée sera rude et vous aurez le postérieur bien endolori.

6. Pour passer au galop, asseyez-vous bien en selle et penchez-vous légèrement en arrière, contrairement au trot. Puis, pressez les flancs de l'animal avec les jambes, un peu plus vers l'arrière cette fois.

7. Pour ralentir, tassez-vous sur la selle et tendez les rênes.

8. Pour stopper, tirez un peu sur les rênes et tassez-vous encore sur la selle. Vous devrez peut-être vous pencher en arrière pour répartir votre poids sur les fesses et les talons. Ne tirez jamais sur les rênes d'un coup sec, les chevaux n'aiment pas ça.

FAIRE ET NE PAS FAIRE

✓ Toujours partir au pas, puis passer au trot, et ensuite au galop.

✓ Relâcher les rênes immédiatement sitôt arrêté. (La récompense du cheval.)

✓ Toujours porter des pantalons longs.

✗ Ne jamais s'asseoir ou s'agenouiller près d'un cheval.

LA NAGE LIBRE (OU CRAWL)

Quand on est égaré dans les eaux glacées de quelque mer inconnue, une seule chose compte : nager aussi vite que possible jusqu'à la plage la plus proche. Pensez qu'elle peut se trouver à plusieurs kilomètres, et qu'il faudra être capable de parcourir dans les flots insidieux la distance vous séparant de la terre ferme. La meilleure solution : bien pratiquer le crawl.

À prévoir

Savoir nager

De l'énergie

De la crème anti-requin

COMMENT FAIRE

1. Il faut être aussi musclé que possible, afin de sortir la tête de l'eau tout en maintenant le corps près de la surface.
2. Les battements de jambes vous font flotter. Gardez-les sans cesse en action, bien tendues. L'effort doit être accompli avec les cuisses pour une efficacité maximale.
3. Les bras sont votre moteur, la technique est donc cruciale. Sortez un bras légèrement plié de l'eau et levez-le au-dessus de la tête. Puis, replongez-le dans l'eau aussi loin que possible vers l'avant. Ramenez-le ensuite en arrière, toujours légèrement fléchi.
4. Essayez de respirer tous les deux mouvements de bras. Sortez la tête de l'eau sur le côté du bras levé, inspirez, puis replongez la tête dans l'eau. Il est important sur le plan technique de respirer en rythme avec les mouvements.

ESCALADER UNE MONTAGNE

Quand Jacques Balmat et Michel-Gabriel Paccard atteignirent en 1786 le sommet du mont Blanc, dans les Alpes, seulement équipés d'une corde artisanale nouée autour de la taille, l'escalade devint un sport à part entière. S'ils furent précis sur l'itinéraire emprunté, ils restèrent plus vagues sur les efforts endurés. « C'était l'enfer », déclara Balmat à son gastro-entérologue quelques semaines plus tard. Il n'en dit jamais davantage.

Escalader des montagnes est difficile, mais pas impossible. Il faut avoir de bonnes notions d'alpinisme, de camping et de survie par grand froid. En outre, l'escalade n'est pas un sport individuel. Partez avec au moins un partenaire, et même en groupe.

À prévoir

- De solides chaussures hautes d'alpinisme
- Une tente 4-saisons facile à monter
- Deux tenues chaudes et légères
- Un duvet bien chaud
- Un réchaud de camping
- Des aliments riches en glucide
- Beaucoup d'eau

COMMENT FAIRE

1. Planifiez votre ascension avec le concours du service de sauvetage local. Prévoyez vers 2 400 mètres une halte d'au moins une journée pour vous acclimater à la diminution d'oxygène et à l'altitude. Ensuite, grimpez par étapes de 300 à 450 mètres, puis profitez du jour restant à la fin de chacune afin de dresser le camp pour la nuit.

2. Partez doucement, avancez à votre rythme. Si des randonneurs du groupe vous dépassent en chemin, ne prenez pas leur foulée. Ce n'est pas une course. Cependant, ne restez pas à la traîne au

Une trousse d'urgence

Des cordages

Un harnais

Des crampons

Un piolet

point de vous retrouver isolé. Si vous faites partie d'un groupe nombreux, un professionnel aguerri doit fermer la marche. Il ne vous laissera pas derrière.

3 Parvenu à 2 400 mètres, il est important de ralentir pour bien s'acclimater à l'altitude. Ensuite, ne montez pas plus de 450 mètres par jour. Et buvez beaucoup d'eau car rester hydraté évite parfois le mal de l'altitude.

4 Attention aux avalanches et aux chutes de rochers. Si vous traversez un couloir d'avalanche, marchez vite, mais sans vous affoler. Ne vous arrêtez jamais, même une minute, dans une zone qui vient de connaître une avalanche.

5 Quand vous faites halte pour la nuit, montez votre tente. Puis, ôtez vos vêtements humides de sueur pour passer l'autre tenue, sèche (et plus chaude), que vous avez dans le sac. Le lendemain, remettez la première pour la nouvelle étape.

FAIRE ET NE PAS FAIRE

X Si vous avez du mal à respirer ou à dormir, la tête qui tourne, la nausée ou des vomissements, vous souffrez peut-être du mal de l'altitude. N'allez pas plus haut. En fait, il est même conseillé de redescendre d'au moins 300 mètres, et d'y rester au moins vingt-quatre heures pour s'acclimater.

PILOTER UN AVION

Je ne voudrais pas jouer les donneurs de leçons, mais on ne peut déduire que deux choses lorsque, dans un avion volant à plus de 10 000 mètres d'altitude, l'hôtesse demande si quelqu'un sait piloter. Un, elle cherche une bonne école de pilotage. Deux, le pilote est indisposé, voire décédé. Sans rentrer dans les détails, j'opterai pour la deuxième possibilité. Certes, il ne faut jamais essayer de piloter un avion sans la formation et les qualifications requises. Mais en pareil cas, face à une mort imminente, que faire ? Rester assis là et attendre que ce tas de ferraille s'écrase tel un coucou blessé, ou vous ruer au poste de pilotage et prendre les commandes ? Là encore, je choisirai la deuxième option.

QUE FAIRE

1. Avant tout, il faut sortir le pilote de son siège, surtout s'il est affalé sur la commande principale (appelée manche à balai). Auquel cas, dégagez-le vite de là, car son corps pousse sur le manche, et l'avion descend rapidement – c'est la descente en piqué.

2. Si le pilote n'est pas en contact avec le manche et que l'avion vole bien, tant mieux. Cela indique qu'il est sur pilote automatique. Alors, ne touchez surtout pas le manche, ce geste le désenclencherait et vous devriez prendre les commandes plus tôt que vous ne le souhaitez. Si l'avion est en pilotage automatique, passez à l'étape 4.

3. Si vous devez piloter immédiatement, il faut avant tout rétablir l'assiette de l'appareil. Trouvez l'altimètre ; sur un moniteur pour les modèles récents ; sur la rangée d'instruments du haut pour les plus anciens, en général au centre. Il représente des ailes miniatures sur l'horizon. Utilisez le manche pour corriger l'inclinaison (montée ou descente) et pour virer (à gauche ou à droite). Le tirer vers vous fait monter l'avion, le pousser vers l'avant le fait descendre.

4. Une fois l'assiette rétablie, appelez à l'aide avec la radio. Il faut répéter *Mayday* trois fois avant de décrire la situation. Par exemple : « Je suis un gars normal qui veut juste aider les autres à rentrer chez eux vivants, et je refuse d'avance toute compensation que vous m'offririez. » Émettez si possible sur la fréquence 121,50 MHz. Sinon, celle que vous pouvez. Vous devrez aussi activer le transpondeur de l'avion, situé près de la radio. Réglez-le sur 7 700, il enverra alors un signal d'urgence à toutes les tours de contrôle des environs.

5. Une fois le contact établi, on va vous poser des tonnes de questions précises et vous donner des instructions pour atterrir sur l'aéroport le plus proche.

suite page 46

suite

6 Si vous n'obtenez aucun contact et devez poser l'avion sans plus attendre, repérez un espace plat et dégagé, tel un champ ou une route. Évitez absolument les bois, les lignes électriques, les immeubles et les zones d'habitation. Faites descendre l'avion doucement et régulièrement puis, juste avant de toucher le sol, tirez légèrement sur le manche – cela s'appelle relever le nez – afin de vous poser sur les roues principales et non sur celles de devant.

7 Dès que vous touchez le sol, trouvez la manette des gaz, un levier noir entre les deux sièges, et tirez-la complètement vers vous pour réduire la poussée des moteurs.

8 Puis appuyez avec les pieds de façon progressive sur les palonniers afin de freiner. Inutile de piler, l'avion partirait en tête-à-queue. Appuyez juste suffisamment pour le ralentir jusqu'à l'arrêt.

ASTUCE

✓ L'anémomètre est un indicateur de vitesse important. Il se trouve vers la partie supérieure gauche des instruments de contrôle. Ne vous inquiétez pas de la vitesse, assurez-vous juste que l'aiguille reste dans le vert tant que vous n'avez pas un professionnel à l'écoute. Si l'aiguille est au-dessus, cela signifie que vous accélérez et que vous tombez. Il faut donc tirer sur le manche. Si elle est en dessous, cela indique que vous montez et ralentissez. Il suffit donc de pousser sur le manche pour rétablir l'assiette.

APPRENDRE LE PARKOUR

Le Parkour est l'art du déplacement, discipline inventée en France par David Belle, en 1988. Elle pourrait s'intituler l'art de franchir les obstacles. Les pratiquants grimpent des murs, sautent d'un toit à l'autre et passent d'étroites corniches plus vite que des chats. Même si le côté athlétique est important, le Parkour fait aussi appel au mental, telle une philosophie permettant de surmonter les obstacles qui se présentent. Vous devez avoir confiance en vous pour réussir l'impossible. Ces techniques sont incontournables pour échapper à des poursuivants ou emboîter le pas de James Bond quand il saute d'un immeuble à l'autre à la poursuite du méchant de *Casino Royale*.

QUE FAIRE

1. Le Parkour possède peu de mouvements prédéfinis car chaque obstacle a ses propres caractéristiques, chaque personne son physique et des capacités différentes. Mais impulsion et aptitude sont primordiales dans cette discipline. Le secret, c'est de passer un obstacle le plus vite possible et d'utiliser l'élan pour franchir le suivant.

2. Il faut aussi savoir amortir les impacts pour se protéger les jambes et le dos. La roulade est un geste commun du Parkour. Il suffit d'atterrir sur la pointe des pieds, les genoux fléchis, puis de se laisser tomber vers l'avant, de toucher le sol avec le dos de l'épaule, de rouler sur soi-même et de se relever. Ainsi, l'impact sur les pieds et les jambes est moindre, l'élan permet de se remettre debout pour courir à nouveau.

3. Le saut de chat est un mouvement courant permettant de franchir un obstacle plat en prenant appui sur les mains et les pieds. Autres techniques requises : saltos, lâchers, rétablissements, escalades et réceptions.

CHAPITRE

3

L'ESPRIT CHEVALERESQUE

L'esprit chevaleresque n'est pas mort, il a simplement évolué au fil du temps. De nos jours bien des femmes prennent ombrage quand un homme leur ouvre la porte ou règle l'addition au restaurant, comme s'il s'imaginait qu'elles en sont incapables. Ne soyez donc pas surpris si une femme vous ouvre la porte ou paie la note. Cela dit, un preux chevalier ne secourt pas uniquement les dames en détresse, mais quiconque a besoin de son aide. D'ailleurs, il se montre chevaleresque envers tous les gens qu'il rencontre.

COMMENT TRAITER UNE DAME

Les femmes ont beau se considérer les égales des hommes, elles apprécient pourtant qu'ils se montrent attentionnés à leur égard. Certains jugent cette attitude dépassée, d'autres élégante. Si la galanterie se veut à la fois héroïque et distinguée, il faut cependant la surmultiplier avec sa chère et tendre. Autrement dit, lui montrer qu'on l'aime. Mais comment ?

Règles de galanterie

1. Ouvrez-lui la porte, mettez-vous sur le côté et laissez-la entrer la première.
2. Aidez-la à mettre son manteau. Tenez-le par les épaules en restant derrière elle. Et laissez-lui le temps de l'enfiler.
3. Aidez-la à s'asseoir. Tirez la chaise, attendez qu'elle soit bien assise, puis repoussez-la délicatement.
4. Laissez votre place assise. Systématiquement aux femmes, aux personnes âgées, aux invalides et aux malades.
5. Levez-vous quand une femme entre dans une pièce ou la quitte. Idem pour les personnes âgées et les VIP.
6. Demandez-lui de quoi elle a besoin. Soyez attentionné.
7. Réglez l'addition quand vous l'invitez.
8. Soyez sincère.
9. Offrez-lui des fleurs. Beaucoup et souvent.
10. Faites-lui des compliments, juste un simple : « Ta robe est jolie » ou « T'as de beaux cheveux, tu sais… »

L'ART DE LA SÉRÉNADE

L'art de la sérénade s'est totalement perdu. Quel dommage pour les hommes, car rien ne permet de conquérir plus vite le cœur d'une belle qu'une ballade sous ses fenêtres. Bien sûr, c'est le genre d'acte héroïque qui marque les esprits, alors ne commencez pas à pousser la chansonnette chaque fois qu'une femme vous plaît. Une sérénade ne se décide pas à la légère.

QUE FAIRE

1. Choisissez un instrument de musique, la guitare a le plus de succès. Si vous ne savez pas en jouer, demandez à un ami musicien de vous accompagner. Mais ne vous faites pas remplacer pour chanter, ce serait le meilleur moyen de vous faire doubler.
2. Jouez de préférence sous la fenêtre de sa chambre. Cela pourrait entraîner des problèmes, parlez-en donc à l'avance aux voisins et au reste de la maisonnée, en leur précisant surtout de ne pas vendre la mèche. La surprise est primordiale dans une sérénade.
3. Répétez. Forcément, vous choisirez une chanson tendre et mielleuse. Mais le véritable héros interprète serait capable d'écrire lui-même les paroles.
4. Les sérénades se déroulent au crépuscule. Vérifiez bien ses horaires, mieux vaut qu'elle soit chez elle.
5. Le moment venu, appelez-la de votre portable et demandez-lui de venir à la fenêtre pour une surprise. Puis commencez à chanter sans l'attendre.
6. La chanson terminée, ne partez pas comme ça. Proposez-lui au moins un rendez-vous. Après une sérénade, vous pourriez même la demander en mariage.

CUISINER UN DÎNER ROMANTIQUE

Les femmes ont toujours eu un faible pour les hommes qui cuisinent, à condition de ne pas leur servir une saucisse-frites. Cela pouvait paraître romantique quand vous étiez étudiant et n'aviez qu'un réchaud, mais n'a pas cours dans le monde périlleux des vrais héros. Cependant, le repas n'est pas tout, il faut aussi se bien conduire. Un romantique ne passe pas la soirée à parler de lui, à boire jusqu'à l'ivresse ou à mastiquer la bouche ouverte. Il reste attentionné, pose beaucoup de questions et s'efforce de créer une ambiance détendue grâce à sa conversation et ses talents de cordon bleu. Après tout, il s'agit d'impressionner la belle.

QUE FAIRE

1. Avant tout, organisez-vous bien, prévoyez un repas agréable. Privilégiez des mets légers et rafraîchissants au lieu de recettes indigestes et riches, qui risqueraient de vous donner des ballonnements, des gaz ou des brûlures d'estomac, rien de très romantique. Cuisinez simple, servez de petites portions, évitez la viande rouge et favorisez les légumes. Les légumes sont vos alliés.

2. N'oubliez pas le vin, indispensable élément d'un dîner romantique. Un héros choisira une bonne bouteille : un blanc sec accompagne bien les poissons, voire un léger Pinot rouge. Ne lésinez pas sur le prix et, sans acheter une caisse, comptez quand même deux ou trois bouteilles au cas où. Prévoyez également un vin doux pour le dessert.

3. Créez une ambiance feutrée avec un confortable éclairage tamisé et une douce musique de fond. Chandelles de rigueur, bien entendu. Des fleurs dans un vase ajouteront une note chic.

4. Que les entrées ou la salade soient prêtes avant qu'elle n'arrive. Vérifiez la température du vin, mettez la musique.

5. Préparez les ingrédients, mais attendez-la pour cuisiner. Pas besoin de précipiter la soirée et la cuisine est une activité ludique. N'espérez pas qu'elle vous aide, mais si elle le souhaite, dites oui.

6. Quand le dîner est prêt, prenez tout votre temps à table. Une bonne conversation confère à la soirée un aspect encore plus romantique.

7. À la fin du repas, ne vous ennuyez pas à débarrasser. Vous le ferez le lendemain matin – seul ou tous les deux.

RANIMER UNE FEMME

Ranimer une femme évanouie est un art disparu à plus d'un titre, d'abord parce que les femmes ne s'évanouissent presque plus, en admettant que cela leur soit jamais arrivé ailleurs qu'au cinéma. Mieux vaut toutefois être prêt au cas où une dame se pâmerait en votre présence. Techniquement parlant, la syncope se produit quand l'irrigation du cerveau diminue brusquement. Sont concernés les gens mangeant et dormant trop peu, ou ne buvant pas assez d'eau. Il est donc plus probable de tomber sur une femme évanouie en boîte de nuit, le samedi, au petit matin. Voici quoi faire alors :

À prévoir

Un coussin, ou autres tissus pliés

Un mouchoir passé à l'eau froide

QUE FAIRE

1. Appelez un docteur.
2. Surélevez-lui les jambes à l'aide d'un coussin, de votre veste, d'une nappe pliée ou autre.
3. Tournez-lui la tête de côté, puis posez-lui un mouchoir froid et humide sur le front et les joues. Humidifiez le tissu avec de l'eau froide jusqu'à l'arrivée du médecin ou sa reprise de conscience, il faut quelques minutes en général.
4. Si elle se réveille avant l'arrivée du docteur, aidez-la à s'asseoir. Faites-lui boire de l'eau. Dites-lui que tout va bien, que vous contrôlez la situation.
5. Aidez-la ensuite à s'allonger sur le dos et attendez le médecin.

FAIRE FONDRE UNE FILLE

Si inviter une femme à danser le tango (voir p. 56) ne la fait pas fondre à l'instant, alors vous avez un problème. Bien évidemment, si vous tentez votre chance dans un lieu ne comportant ni piste de danse à l'éclairage tamisé ni violon, il faudra recourir à d'autres procédés. Voici quelques idées romantiques si l'invitation vire au fiasco.

QUE FAIRE

1. Emmenez-la musarder dans le jardin botanique. Prenez un guide décrivant les plantes et les fleurs afin de les découvrir tous deux ensemble.
2. Invitez-la à passer une douce soirée près de la cheminée, à discuter de vos projets en sirotant des boissons chaudes.
3. Allez visiter un musée ou une galerie d'art en matinée. Puis conviez-la à déjeuner et profitez-en pour échanger vos impressions.
4. Prenez du papier format pancarte et des piquets en bois. Puis, écrivez des mots d'amour sur les feuilles et plantez les écriteaux sur le trajet de son travail. Écrivez des choses personnelles qui ne lui laisseront aucun doute quant à la destinataire des messages.
5. Envoyez un messager lui chanter un beau poème ou un texte écrit de votre main.
6. Préparez un petit dîner romantique pour vous deux. C'est le succès quasi assuré, surtout si vous cuisinez en duo.
7. Allez voir une pièce de théâtre romantique. *Roméo et Juliette*, c'est presque toujours un ticket gagnant.

DANSER LE TANGO

Impossible d'apprendre à danser le tango dans les pages d'un manuel. C'est une danse compliquée, truffée de minauderies, une performance hors normes. Alors, le meilleur moyen consiste à prendre des cours, soit avec un professeur, soit avec une méthode vidéo, et de pratiquer. Cela dit, quelques conseils ne feront pas de mal aux débutants. Un état d'esprit approprié est primordial.

QUE FAIRE

1. Vous allez piétiner des orteils et commettre des erreurs, ne soyez donc pas susceptible. Peu d'hommes s'essaient au tango, et si vous êtes l'un des rares, c'est déjà une victoire.

2. Trouvez une partenaire qui vous convient, une qui aime danser de préférence. Pas question d'en prendre une qui prétendrait guider, cela ne marcherait pas. C'est l'homme qui mène la danse, règle qui ne souffre aucune exception.

3. L'attitude est essentielle. La fluidité des mouvements, les pas furtifs sur la pointe des pieds produisent une allure parfaite. Vous sentirez que vous avez la bonne posture grâce aux sensations. Si elles sont bonnes, c'est que vous évoluez bien.

4. La position des bras est aussi importante. Vous devez les avoir tendus et fermes. Tenez solidement votre partenaire, mais sans lui broyer les os petit à petit, cela romprait le charme.

5. Attention à la cohue. La piste de danse sera sans doute bondée de couples imprévisibles, gardez donc un œil sur les fripons erratiques afin d'éviter d'incessantes collisions intempestives.

ORGANISER UNE SOIRÉE

Quand un héros organise une soirée, il doit faire en sorte qu'elle se déroule sans anicroche. Si préparer des plats, des boissons et réunir un groupe d'amis est une chose, entretenir une conversation animée et une ambiance musicale festive tout en remplissant verres et assiettes en est une autre. Réussissez le tout avec sang-froid, prodiguez les premiers soins le cas échéant, alors votre soirée sera une réussite dont les invités parleront encore des semaines plus tard.

Les grandes fiestas s'enclenchent en général d'elles-mêmes, il suffit juste de diriger les agapes, du moins jusqu'aux environs de minuit. Les préparatifs participent pour beaucoup aux côtés réussi et amusant d'une soirée. Avant l'arrivée des premiers convives, vérifiez que le réfrigérateur est rempli de boissons (commandez la bière au moins deux jours à l'avance). Ensuite, disposez plats et saladiers un peu partout dans les lieux. Assurez-vous aussi que votre trousse de secours ne manque de rien, qu'elle est à portée de main.

Quand les invités arrivent, débarrassez-les de leur manteau, puis offrez-leur un verre – ce n'est pas très compliqué. Cela le devient davantage au moment de se rappeler des noms. En outre, c'est plus appréciable d'en savoir un peu sur chacun afin de personnaliser un brin les présentations. Au lieu de dire : « Judy, voici Allan », vous pourrez annoncer : « Voici Allan, qui a récemment dissuadé quelqu'un de se jeter dans le vide. » Cela devrait leur donner matière à discuter pendant que vous retournez vaquer à vos occupations.

D'autre part, vous devez aussi garder un œil sur certains invités. Si vous remarquez un(e) ami(e) acculé(e) par un(e) bavard(e) impénitent(e), vous devez voler à son secours et le (la) tirer de cette situation inconfortable. Et ne laissez pas les plus effacés errer comme des âmes en peine. Mettez-les en avant, qu'ils s'amusent bien aussi.

SERVIR LE PARFAIT MARTINI DRY

Savoir confectionner le parfait Martini dry est un atout de choix dans l'éventail du héros. Ne jamais en boire plus de deux avant de remorquer la voiture du voisin, ou moins de deux avant d'aller danser le tango.

À prévoir

Du gin (voire de la vodka)

Du Martini blanc

Un shaker

Des olives

COMMENT FAIRE

1. Verser du gin sur de la glace dans un shaker (remuer en douceur au lieu de secouer afin de ne pas troubler le gin). Puis prenez la bouteille de Martini.
2. Versez juste une larme, pas plus, dans un verre à cocktail. Juste assez pour ôter au gin sa texture d'alcool coupé à l'eau.
3. Versez le gin dans le verre.
4. Ajoutez deux olives et servez.

PRENDRE SOIN D'UNE COMPAGNE IVRE

Si vous avez rendez-vous avec une femme, et qu'elle boit plus que de raison – je parle d'ivresse manifeste (éructant et la démarche titubante, elle accoste le voiturier d'une voix pâteuse) – vous devez alors prendre soin d'elle. Il faut la ramener chez elle et la coucher – seule – afin de ne rien entacher d'autre que sa fierté. Vous n'aurez sans doute plus envie de sortir avec elle, mais ce n'est pas une raison pour la laisser en plan dans la rue, livrée à elle-même. Cela ne présente en général rien d'héroïque, mais il faut le faire.

QUE FAIRE

1. Une fois l'ébriété de votre amie constatée, il faut la ramener chez elle, avec votre voiture ou en taxi. Au milieu d'un dîner ou d'une soirée, cela exigera du savoir-faire et du tact. Si les convives sont peu nombreux ils verront presque tous qu'elle est soûle, ce n'est donc pas le moment d'ironiser. Restez calme, serein et prétendez qu'elle a juste besoin d'aller se reposer.

2. Si elle danse avec le voiturier, soyez courtois mais ferme et dites-lui (aux deux d'ailleurs) qu'il est temps de rentrer. Si le voiturier s'y oppose, reportez-vous à la p. 63, *Éviter la bagarre*. Restez zen. N'oubliez pas que votre but est de la ramener chez elle.

3. Penchez sa tête en arrière si elle vomit. Vous ne la reverrez peut-être plus mais elle n'oubliera jamais votre conduite chevaleresque.

4. Si elle vous aguiche sans vergogne, dites-lui juste qu'il vous paraît préférable d'attendre un peu. Une fois à son domicile, assurez-vous qu'elle arrive à entrer, dites-lui au revoir devant la porte et partez.

AIDER QUELQU'UN À TRAVERSER LA RUE

Les gestes les plus simples sont parfois les plus héroïques, qu'importe la difficulté ou le danger. C'est parfois une épreuve pour une personne âgée de traverser une large voie très fréquentée. Elle n'en appréciera que mieux l'aide d'un jeune homme qui la déleste de ses courses et tient les voitures à l'écart. Ce sont ces petits riens qui font les héros du quotidien.

QUE FAIRE

1. Quand vous abordez quelqu'un dans la rue, faites toujours preuve de courtoisie et de retenue. Proposez d'abord votre aide au lieu d'arracher directement le sac, ce qui pourrait surprendre.

2. Tandis que vous attendez le passage, vous pouvez expliquer à la personne la suite des opérations. Par exemple : « Bien, ce feu n'est pas très long, alors on doit essayer de se dépêcher. Pas d'inquiétude si le feu change avant qu'on ne soit de l'autre côté, je suis sûr que les conducteurs nous laisseront passer. »

3. Restez au côté de la personne que vous assistez au lieu de marcher devant. Prêtez-lui votre bras si elle a besoin d'un soutien.

4. Si vous n'arrivez pas de l'autre côté à temps, levez juste la main dans une posture indiquant aux automobilistes d'attendre un instant, merci. Personne n'a l'intention de vous écraser, mais sait-on jamais ?

5. Une fois l'artère traversée, assurez-vous que la personne peut poursuivre son chemin, et reprenez le vôtre.

ÊTRE UN SPORTIF ÉMÉRITE

Le sport est souvent un reflet de la vie. Par conséquent, faire preuve de sportivité sur un terrain de football, de cricket, ou sur un court de tennis se ressent sur l'activité professionnelle et les relations. Entraînement, travail et respect de l'adversaire sont les valeurs nobles des compétitions amicales, quand le résultat n'est pas impératif. Cela dit, le héros préfère quand même gagner.

QUE FAIRE

1. Vérifiez que tous les participants connaissent les règles du jeu avant d'entamer une partie.
2. Choisissez un adversaire de votre catégorie.
3. N'applaudissez ni ne jubilez quand un joueur de l'équipe adverse se blesse. Tendez-lui plutôt la main.
4. Quand l'adversaire ou l'équipe rivale réussit un joli coup, reconnaissez-le. Pas la peine d'en rajouter, un simple « bien joué » fera l'affaire.
5. La compétition provoque des montées d'adrénaline qui peuvent déboucher sur des altercations. Ne vous laissez pas emporter, il s'agit juste d'un jeu.
6. Félicitez toujours l'adversaire à la fin de la partie, que vous soyez vainqueur ou vaincu.

ÉVITER LA BAGARRE

La plupart des gens voient les héros comme des brutes épaisses, des costauds prêts à combattre le méchant à tout instant, mais cela n'est pas toujours vrai. Nul besoin d'être une brute épaisse ou un costaud pour devenir un héros. Ni de se battre. Surtout si le méchant est plus gros, plus brute et plus costaud que vous. En découdre avec pareil énergumène n'aurait rien d'héroïque, ce serait même stupide. Bien sûr, si c'est une question de vie ou de mort, le véritable héros ne doit reculer devant aucun obstacle, mais il est toujours préférable d'éviter les hostilités. Voici comment serrer les dents et prendre sur soi.

QUE FAIRE

1. Ne vous énervez pas pour des broutilles. Il existera toujours des gens plus ou moins irritants. Cela ne signifie pas non plus qu'il faut se laisser faire.

2. Mordez-vous la langue. Encore une fois, les grossiers et les agaçants abondent, mais vous n'avez pas à leur signaler le fait. La patience est l'une des vertus les plus difficiles à acquérir.

3. Si vous décidez de parler, réfléchissez bien auparavant. Mémorisez ce qui vous déplaît tant chez la personne concernée, ainsi vous pourrez lui mettre les points sur les « i » en cas d'éventuelle explication.

4. Lors d'une altercation, des mots en appellent d'autres, soyez donc conscient de vos paroles. Dans le feu de l'action, on tient parfois des propos qui dépassent la pensée. Ce n'est pas l'idéal avec un ami, encore moins avec un méchant aux biceps gros comme vos cuisses.

CHAPITRE

4

LES SITUATIONS D'URGENCE

Personne n'aime les urgences, même si certains savourent la moindre opportunité de passer à l'action pour porter secours. Pas de méprise, il ne s'agit pas de se réjouir du malheur d'autrui, c'est même tout le contraire. Les héros savent qu'accidents et catastrophes sont imprévisibles, et fiers de leurs aptitudes de secouriste, ils n'hésitent pas à aider les plus faibles au cœur du chaos.

PREMIERS SECOURS

En cas d'urgence, il est primordial pour tout héros de savoir porter secours. Rien ne ramène mieux le calme que se montrer apte à s'occuper d'une personne blessée. Car non seulement vous contribuez à sauver une vie, mais les autres, vous voyant intervenir et maîtriser la situation, se calmeront aussitôt. Il n'est pas vain d'avoir toujours une trousse d'urgence à portée de main, à la fois chez soi et dans la voiture, afin d'être toujours paré. Bien sûr, pas question d'instruments de médecine, juste quelques articles indispensables d'utilité reconnue.

Trousse d'urgence	
Manuel de secourisme	Pansement compressif
Pansements adhésifs	Aspirine, paracétamol ou ibuprofène
Compresses de gaze	Kit antivenimeux
Triangles de tissu	Crème anti-septique
Bandage élastique	Lame de rasoir
Filet de contention	

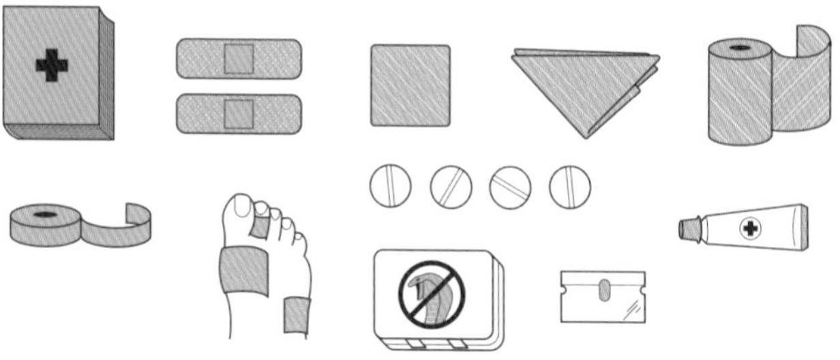

FRACTURE D'UN MEMBRE

Les fractures des bras ou des jambes sont plus fréquentes qu'on ne le croit. Même se briser le petit doigt est très douloureux et très invalidant. Les techniques de secourisme permettent de limiter les dégâts et de remettre la personne blessée à un professionnel sans aggraver la blessure.

À prévoir

Des compresses de gaze

Deux objets rigides (planches, bâtons) pour servir d'attelles

Ficelle, corde, ceinture ou bandes de tissu

COMMENT FAIRE

1. Seule une radio permet de déterminer une fracture. Si vous ou la victime pensez qu'un os est brisé, traitez-le comme tel.

2. Les os fracturés peuvent percer la peau. Si vous voyez cela, mieux vaut avoir de l'estomac et ne pas toucher afin d'éviter toute infection. Il faut cependant stopper l'hémorragie, éventuellement par un point de compression.

3. Il faut maintenir le membre brisé avec des attelles, une de chaque côté. Assurez-vous qu'elles sont plus longues que le bras ou la jambe concernés.

4. Attachez les attelles pour le mieux (ficelle, corde, ceinture, bandes de tissu) afin qu'elles restent en place. Ne serrez pas trop fort, vous risqueriez de couper la circulation sanguine.

5. Essayez de passer deux doigts sous les liens. Si vous n'y arrivez pas, ils sont trop serrés.

BLESSURES PAR BALLES OU À L'ARME BLANCHE

Plus rares que les fractures, mais là n'est pas la question, les blessures par balles ou à l'arme blanche exigent une intervention rapide.

À prévoir

Du tissu propre ou un bandage stérile

Une attelle

Une compresse stérile

COMMENT FAIRE

1. Si un individu chancelle dans l'allée de votre domicile, un couteau planté dans le flanc ou un débris de verre fiché dans le bras, votre première réaction sera de vous enfermer. Mais cet ouvrage traite des héros, alors courage. Vous penserez ensuite à retirer l'objet. Surtout pas. Quelque chose obstruant la plaie réduit souvent l'hémorragie, aussi l'enlever causerait davantage de dommages.

2. Appelez les services d'urgence et tentez de diminuer le saignement en surélevant la zone touchée.

3. Les blessures par balles ou à l'arme blanche non obstruées se traitent en stoppant ou en réduisant l'hémorragie par compression directe de la plaie avec une compresse stérile, un tissu propre, votre chemise ou ce que vous avez sous la main.

4. Surélevez la blessure et pansez-la avec de la gaze. S'il s'agit d'un membre, immobilisez-le avec une attelle. Cela permettra à la plaie de commencer à coaguler et de ne pas s'aggraver.

5. Si l'hémorragie ne s'arrête pas, il faudra alors poser un garrot – une bande de tissu ou une ceinture que l'on enroule entre la plaie et le cœur avant de serrer jusqu'à arrêt total de la circulation.
Un garrot ne se pose qu'en dernier ressort, seulement pour sauver la vie de la victime. En effet, il provoque en dix minutes à peine des dommages vasculaires et nerveux irréversibles qui débouchent parfois sur l'amputation du membre touché.

LES BRÛLURES

Se brûler sérieusement est très facile. En préparant un dîner pour une charmante femme par exemple, l'homme peut avoir le trac, puis un accident. Et l'on ne sort pas toujours indemne d'immeubles en feu (voir p. 86) quand on va secourir des gens. Tous les héros doivent savoir traiter les brûlures.

À prévoir

- Une cuvette d'eau froide
- Une compresse stérile
- Du filet de contention

COMMENT FAIRE

1. Plongez directement la main dans une cuvette d'eau froide.
2. Gardez la main dans la cuvette tout en laissant couler l'eau froide du robinet.
3. Placez un tissu humide sur la brûlure jusqu'à disparition de la douleur.
4. Posez une compresse tenue par du filet de contention pour protéger la brûlure des frottements et de tout ce qui pourrait l'irriter.

LES MORSURES DE SERPENT

Si vous partez dans un pays où les serpents abondent, il est judicieux d'emporter un kit antivenimeux qui renferme un extracteur de venin. N'entaillez jamais la plaie de la morsure avec un couteau, comme dans tous les westerns car il faudrait en plus vous soigner pour une coupure.

À prévoir

Un kit antivenimeux

De l'eau chaude et du savon

Des bandages

COMMENT FAIRE

1. Si possible, emmenez la victime au centre de soins le plus proche.
2. Sinon, défaites les vêtements qui serrent trop et lavez la plaie avec de l'eau chaude et du savon.
3. Laissez la plaie saigner environ trente secondes afin d'évacuer un peu de venin.
4. Posez un bandage serré 10 cm au-dessus et au-dessous de la morsure pour ralentir la propagation du poison. Ce n'est pas un garrot, ne coupez pas la circulation sanguine (Laissez passer un doigt sous la bande).
5. Placez l'extracteur sur la morsure et aspirez le poison jusqu'à ce que la plaie ne saigne plus. Si la pompe ne s'adapte pas bien aux marques des crochets, passez de l'une à l'autre toutes les 2 minutes.
6. Pansez la plaie avec une gaze et du sparadrap, immobilisez la zone de la morsure en la maintenant plus bas que le cœur, pour atténuer le gonflement.
7. Rendez-vous aussitôt dans un centre de soins.

ÉTOUFFER UN FEU

Les incendies sont un terrible fléau. Ils peuvent ravager votre maison durement acquise et toutes vos possessions. Pour étouffer un feu avant qu'il ne prenne ces proportions, il faut le priver de l'un de ses trois éléments indispensables : l'air, le combustible ou la chaleur.

QUE FAIRE

1. Si le feu prend sur un tapis ou du bois, éteignez-le avec de l'eau.
2. Pour un feu gras en cuisine ou provenant d'un court-circuit, utilisez une couverture ou du sable pour étouffer les flammes.
3. Les extincteurs sont classés par tailles et types de feux pour lesquels ils sont prévus. Classe A : les feux secs (bois, papier, tissu). Classe B : les feux gras (liquides inflammables, graisses, hydrocarbures). Classe C : les feux de gaz. Classe D : les feux de métaux.
4. Pour vous servir de l'extincteur, visez la base des flammes et aspergez.
5. Aspergez en balayant tout le foyer, toujours à la base des flammes, jusqu'à extinction totale.

ASTUCE

✓ Un extincteur est doté d'une jauge de pression à vérifier régulièrement afin de s'assurer qu'il est en bon état de fonctionnement. Après usage, il est dépressurisé et doit être remplacé.

LA MANŒUVRE D'HEIMLICH

Vous ne passez certainement pas trois heures à faire rôtir un bon poulet pour que l'un de vos invités s'étouffe en le dégustant. Inventée en 1974 par le Dr Henry Heimlich, cette méthode infaillible pour déloger un objet coincé dans les voies aériennes est à présent un geste incontournable de secourisme. Si quelqu'un commence à s'étouffer, il ne pourra plus parler et se prendra la gorge à deux mains. Accomplissez la manœuvre d'Heimlich, c'est le statut de héros assuré.

À prévoir

Deux mains libres

Une bonne capacité de réaction

COMMENT FAIRE

1. Placez-vous derrière la personne concernée et passez vos bras autour de sa taille.
2. Placez un poing fermé dos vers le haut dans le plexus de la victime.
3. Posez l'autre main sur le poing fermé, puis tirez d'un coup sec vers vous et vers le haut. Attention de ne pas briser les côtes ce faisant, mais concentrez-vous sur le geste.
4. Cela devrait déloger l'objet coincé dans les voies aériennes de la victime. Sinon Recommencez jusqu'à ce que la personne retrouve sa respiration.

FAIRE ET NE PAS FAIRE

- ✗ Ne pas comprimer la cage thoracique, vous risquez de briser des côtes.
- ✗ Ne pas donner de claques dans le dos.

SUR SOI-MÊME

☑ Si pareille mésaventure vous arrive quand vous êtes seul, faites la même chose en vous aidant du dossier d'une chaise ou du coin d'une table afin de vous comprimer le plexus jusqu'à expulsion du corps étranger.

ASTUCE

☑ Il est possible d'appliquer cette manœuvre à une personne inconsciente rescapée de la noyade. Allongez-la sur le dos, la tête de côté afin que l'eau s'écoule. Placez vos mains comme indiqué précédemment, puis serrez les coudes et comprimez-lui la partie supérieure de l'abdomen de coups secs vers le haut jusqu'à ce que toute l'eau soit évacuée des voies aériennes. Si la victime reste sans connaissance et ne respire toujours pas, il faudra effectuer un massage cardiaque jusqu'à l'arrivée des secours.

LES FUITES DE GAZ

Les fuites de gaz sont fréquentes après des cataclysmes et dangereuses. Le gaz naturel n'est pas toxique, mais une flamme ou une étincelle suffit à l'enflammer ou déclencher une explosion. Si vous sentez une odeur de gaz, voici quoi faire :

QUE FAIRE

1. Éteignez toute flamme et cigarette. N'allumez ni allumettes ni appareils électriques, gare aux étincelles.
2. Appelez les pompiers ou la compagnie du gaz pour leur signaler le fait.
3. Arrêtez les appareils à gaz, vérifiez que les veilleuses sont bien éteintes.
4. Ouvrez des portes et des fenêtres pour créer un courant d'air, ainsi le gaz ne s'accumulera pas. Si l'odeur persiste, aérez davantage en ouvrant toutes les portes donnant sur l'extérieur.
5. Si vous estimez que le gaz fuit toujours, coupez l'alimentation générale, située en général près du compteur. Tournez la valve d'un quart de tour avec une clé appropriée. En position d'arrêt, la valve doit être perpendiculaire au conduit d'arrivée.
6. Quittez le domicile et attendez les secours. Si quelqu'un se sent mal, pensez à l'intoxication au monoxyde de carbone. Appelez les services d'urgence.

ASTUCE

- ✓ Les veilleuses et les brûleurs des appareils à gaz doivent toujours produire une flamme bleue. Si elle devient jaune ou rouge, quelque chose ne va pas. Appelez le service d'entretien.
- ✓ Faire réviser et nettoyer régulièrement son installation de gaz.

SURVIVRE À UN SÉISME

Environ 18 fois par an surviennent des séismes majeurs – d'une magnitude de 7,0 à 7,9 sur l'échelle de Richter. Si vous vivez en bordure de l'océan Pacifique, théâtre de 80 % des tremblements de terre dans le monde, il est bon de se tenir paré à l'éventualité.

QUE FAIRE

1. Si vous êtes à l'intérieur, abritez-vous sous un meuble solide et restez-y. En l'absence de meuble adéquat, accroupissez-vous dans un coin de la pièce, la tête protégée par les bras.

2. Tenez-vous loin des fenêtres, portes, cloisons, luminaires ou tout objet susceptible d'être projeté. Ne vous abritez dans l'embrasure d'une porte que si elle est placée dans un mur porteur.

3. Restez à l'intérieur jusqu'à la fin du séisme. Ne sortez que quand les secousses ont cessé. NE PRENEZ PAS l'ascenseur.

4. Si vous êtes à l'extérieur, trouvez un endroit dégagé à l'écart des bâtiments, arbres et lignes électriques. Allongez-vous au sol, puis attendez la fin du cataclysme. Les dangers principaux sont cantonnés à proximité des immeubles, le long des façades et des fenêtres, voire près des issues vers lesquelles se ruent les gens affolés. Murs s'effondrant, objets chutant et débris projetés causent la plupart des blessures lors d'un séisme.

5. Si vous êtes en voiture, dégagez-vous de la circulation, garez-vous et restez dans le véhicule. Quand le séisme a cessé, évitez les routes, les ponts et les rampes d'accès qui risquent d'être endommagés.

EN CAS D'INONDATION

Les humains considèrent, depuis des milliers d'années, les inondations à la fois comme des bénédictions et des malédictions. Les crues du Nil, en Égypte, ont donné certaines des terres agricoles les plus fertiles de l'histoire du pays. Cependant, l'étalement des villes sur les plaines fluviales rend problématique la moindre élévation des eaux et déclenche des batailles épiques entre l'homme et la nature, très souvent victorieuse. Cela ne nous empêche pourtant pas de continuer à modifier des cours de rivières, ériger digues, barrages et talus. Néanmoins, l'eau s'écoule et la nature reprend le plus souvent ses droits. Si vous entendez parler d'une veille inondation, une crue risque de survenir. Si l'on parle d'alerte inondation, la catastrophe a déjà commencé et va toucher votre secteur.

QUE FAIRE

1. En cas de veille inondation, restez informé par la télé ou la radio.
2. Préparez votre domicile. Surélevez les meubles ou montez-les à l'étage, ainsi que tout objet de valeur.
3. Ensuite, préparez-vous à évacuer. Faites le plein d'essence afin d'être paré à partir vite et prenez votre trousse d'urgence.
4. Si vous avez le temps, protégez votre maison avec des sacs de sable. Il faut environ une heure à deux personnes pour remplir 100 sacs et monter un mur haut de 30 cm et long de 6 m.
5. Quand votre secteur commence à être inondé, restez calme. Si l'eau commence à s'élever rapidement, réfugiez-vous aussitôt plus haut avant qu'il ne soit trop tard. Pas besoin d'instructions officielles pour savoir quand il est temps. N'oubliez pas votre trousse d'urgence.
6. Avant de partir, ôtez tous les fusibles possibles du compteur électrique, débranchez tous les appareils pouvant l'être pour éviter les risques d'incendie. ATTENTION : ne pas manipuler d'appareil électrique si vous êtes mouillé ou les pieds dans l'eau.
7. Si vous quittez votre résidence à pied, ne traversez pas des eaux mouvantes. Un flot haut de 12 cm peut vous faire tomber. Évitez les conduits de drainage où le courant est violent. Les enfants en particulier risquent d'être emportés dans les canalisations.
8. En voiture, empruntez les axes principaux, roulez si possible au milieu de la chaussée, toujours surélevé. Ne prenez jamais de routes secondaires ou des tunnels emplis d'eau stagnante — vous ne connaissez pas la profondeur d'eau. Si vous devez rouler dans l'eau, avancez lentement mais sûrement. Lever le pied de l'accélérateur laisserait l'eau s'infiltrer dans le moteur par le tuyau d'échappement, et il calerait. Si les flots montent autour de votre auto, abandonnez-la et tentez de gagner en sécurité un secteur plus haut. Vous et le véhicule pourraient être emportés.

LES PANNES D'ÉLECTRICITÉ

Les pannes d'électricité sont l'une des grandes conséquences des séismes violents et des inondations massives. Elles aggravent des situations déjà compromises. Comme pour la plupart des urgences, il est plus facile de faire face si l'on est préparé (les bougies et la torche de votre kit d'urgence deviendront vos meilleures amies). Ainsi, quand vous serez prisonnier de l'obscurité, le rôle de héros semblera plus facile.

QUE FAIRE

1. Si les lumières s'éteignent, vérifiez si vos voisins ont de l'électricité. Auquel cas, il s'agit alors d'un fusible ou d'un court-circuit. Cela nuirait à votre réputation d'organiser l'évacuation du quartier sans raison valable. Garder à proximité des fusibles de rechange et une lampe aide à surmonter ce genre d'épreuve.
2. Si tout le quartier est dans l'obscurité, débranchez les appareils électriques, éteignez toutes les lumières, sauf une, ainsi vous saurez quand l'électricité est rétablie.
3. Pensez aux proches et aux voisins qui auraient besoin d'assistance si les éléments sont déchaînés.
4. Gardez du charbon de bois ou du gaz pour votre barbecue, ainsi vous pourrez toujours cuisiner. Aérez bien la pièce, ou installez-le à l'extérieur.
5. Évitez de vous déplacer, surtout en voiture. Les feux de signalisation sont bien souvent hors service dans ces cas-là.
6. N'ouvrez le réfrigérateur ou le congélateur qu'en cas d'absolue nécessité. Ils restent froids des heures durant, et conservent donc les aliments, à moins de se demander longuement devant la porte ouverte quoi grignoter aux chandelles.

ORGANISER UNE ÉVACUATION

Une évacuation est une affaire sérieuse et un cauchemar logistique. Les autorités locales ne demandent pas aux gens de quitter leur résidence et leur ville sans être persuadées qu'un danger imminent ne se profile à l'horizon. Heureusement, des signes avant-coureurs signalent les catastrophes, il est donc inutile de paniquer, mieux vaut se dépêcher dans le calme. Bien sûr, si votre kit d'urgence est déjà prêt, ce sera du gâteau. Quand un désastre approche, il faut écouter les informations à la radio et à la télé. Si les autorités ordonnent l'évacuation, partez sur-le-champ.

QUE FAIRE

1. Si vous avez quelques heures devant vous, vérifiez que votre kit d'urgence est complet. Puis, rassemblez famille, amis, voisins et toute personne à évacuer en un seul lieu.
2. Téléphonez à votre lieu de destination pour réserver et préparer votre arrivée.
3. S'il vous reste encore du temps, protégez votre maison en rentrant le mobilier de jardin et les gros objets susceptibles de l'endommager s'ils sont emportés. Coupez aussi l'électricité, l'eau, et calfeutrez vos fenêtres pour éviter aux vitres de se briser.
4. Montez la télé, l'ordinateur, la chaîne stéréo et tout équipement électronique à l'étage ou sur de hautes étagères, à l'écart des fenêtres pour les protéger de la pluie et du vent.
5. Quand le moment est venu, saisissez votre kit d'urgence et partez.

CHAPITRE

5

LES SAUVETAGES PÉRILLEUX

Le sauvetage est un acte curieux. D'un côté, c'est fort héroïque. De l'autre, les probabilités de mourir, se blesser ou disparaître augmentent vertigineusement dès lors qu'il faut se ruer dans un immeuble en flammes, se jeter dans l'océan pour redresser un bateau ou extraire quelqu'un passé à travers une fine couche de glace. Voilà pourquoi même les grands héros réfléchissent avant d'agir – ou du moins lisent cet ouvrage. Ils sont ainsi parés aux sauvetages périlleux.

RÉCUPÉRER UN CHAT DANS UN ARBRE

Un authentique héros aide quiconque à se tirer d'affaire, quelle que soit la banalité de l'effort à fournir. Il est donc apte à récupérer le gentil chat du voisin âgé dans les hautes branches du chêne de la cour. La gratitude dudit voisin ne compensera sans doute pas les nombreuses griffures, mais un héros ne s'arrête pas à ce genre de considérations.

À prévoir

- De la patience
- Une échelle
- De gros gants en cuir
- Une taie d'oreiller
- Une corde

COMMENT FAIRE

1. Première chose, rester calme (voire calmer le voisin). Laissez le chat tranquille, il reviendra sans doute de lui-même. Accordez-lui la nuit entière et, entre-temps, gardez le chien à l'intérieur. Vous pouvez appeler le félin du bas de l'arbre ou ouvrir une boîte de nourriture pour l'appâter, mais ne soyez pas contrarié s'il n'écoute pas. Les chats ont la réputation de ne pas obéir.

2. Si le chat est jeune ou s'il porte une laisse accrochée autour du cou (pour des raisons qui ne regardent personne), il faut aller le chercher. Les chatons n'ont pas la force de rester longtemps dans un arbre par vent violent.

3. Essayez tout d'abord de l'inciter à descendre de lui-même en posant une échelle contre l'arbre, près de lui. Puis laissez-le seul environ quinze minutes.

4. Si le chat a peur, mettez les gants pour vous protéger des coups de griffe, puis prenez la taie d'oreiller et la corde.

5. Sitôt rejoint l'animal, saisissez-le par la peau du cou. Vous réduisez ainsi les risques d'être griffé et cela a un effet apaisant sur lui.

6. Glissez-le en douceur dans la taie d'oreiller – fin de l'effet apaisant – que vous attachez avec la corde.

7. Ensuite, passez-le délicatement à une personne restée au sol pour le récupérer.

8. Rentrez-le dans la maison avant de le libérer, sinon il risque de se précipiter à nouveau dans l'arbre sous le coup de la panique.

DÉSEMBOURBER UN VÉHICULE

Les aventuriers parcourant les grandes étendues de la planète découvrent avec surprise comme il est facile de se retrouver embourbé jusqu'aux essieux sur le bas-côté d'une route. C'est une situation angoissante, mais surmontable en peu de temps avec un minimum d'astuce et de force.

QUE FAIRE

1. Vous êtes embourbé car les pneus n'ont plus assez d'adhérence au sol. Essayez tout d'abord d'avancer et reculer plusieurs fois en douceur. Une roue qui tourne lentement agrippe mieux le sol. Si vous constatez des progrès, accélérez un peu en espérant que cela suffira à dégager le véhicule.

2. Si le procédé n'est pas concluant, prenez du bois ou des cailloux pour confectionner une sorte de rampe devant et derrière les roues. Quand la structure paraît solide, avancez doucement dessus, vous devriez vous sortir du bourbier. En l'absence de bois et de pierres, une veste – 4 de préférence – fera l'affaire.

3. En dernier recours, sortez la pelle et l'huile de coude. Creusez de petites tranchées en pente devant et derrière chaque roue afin de leur donner davantage d'adhérence. Mais si le véhicule a un peu de traction, répétez la manœuvre précédente.

4. Si aucune de ces méthodes ne marche, vous êtes bel et bien dans le pétrin. Mieux vaut alors partir à pied tenter de dénicher un gars serviable possédant un 4X4 et une barre de remorquage.

SAUVETAGE SUR GLACE

Si quelqu'un passe à travers une couche de glace, vous avez moins de trente minutes pour le repêcher avant qu'il ne souffre d'hypothermie sévère. Réagissez vite et, surtout, ne tombez pas à l'eau vous aussi.

À prévoir

Une perche, une corde ou une échelle

Un bateau

Une couverture

COMMENT FAIRE

1. NE COURREZ PAS vers la victime. Si la glace a cédé, elle est fragilisée pour vous aussi. Appelez les services d'urgence.
2. Approchez-vous autant que possible de la victime et tendez-lui une perche ou lancez-lui la corde. Mettez-vous à plat ventre pour avoir plus d'allonge et aussi mieux répartir votre poids sur la glace. Si vous entendez des craquements, battez en retraite.
3. Parlez à la victime, dites-lui que tout va aller pour le mieux. Il faut la rassurer.
4. Si elle saisit la perche ou la corde, hissez-la délicatement hors de l'eau.
5. S'il y a un bateau à proximité, prenez-le pour rejoindre la victime en glissant sur la glace, puis aidez-la à monter à bord. Si la glace cède, l'embarcation vous empêchera de finir au fond d'un lac gelé.
6. Réchauffez la victime, enveloppez-la dans une couverture et conduisez-la à l'hôpital le plus vite possible.

SAUVER QUELQU'UN D'UN BÂTIMENT EN FEU

Les bâtiments en feu ne sont pas des lieux où s'attarder. En pareille situation, il faut sortir, et sortir vite. Cependant, si vous entendez des cris appelant à l'aide, la seule option héroïque consiste à secourir la personne en détresse. Si les pompiers sont déjà sur place, prévenez-les. Ils considèrent que pénétrer dans un édifice en flammes est extrêmement dangereux, mais ils ont des tenues ignifugées, des masques à oxygène, des outils et un entraînement que vous n'avez pas. De toute façon, ils ne vous laisseront pas entrer dans le bâtiment. Par contre, si les pompiers ne sont pas encore arrivés ou si vous étiez déjà dans l'immeuble et qu'il faut aider quelqu'un à évacuer, voici quelques conseils :

QUE FAIRE

1. La fumée est aussi mortelle que le feu, sinon plus. Comme elle s'élève, restez près du sol.

2. Prenez une corde ou un câble à dérouler derrière vous, ainsi vous retrouverez aisément la porte ou la fenêtre par laquelle vous êtes entré si la fumée bouche la visibilité.

3. Si vous n'avez ni corde ni câble et que vous ne voyez même pas vos pieds, mettez-vous à quatre pattes, puis suivez un mur en vous aidant de la main.

4. Retenez l'emplacement d'autres issues en cas de sortie urgente.

5. Appelez la personne piégée dans le bâtiment afin de pouvoir déterminer sa position. Si elle ne peut vous le dire, guidez-vous au son de sa voix.

6. Si vous trouvez une personne inconsciente, il est possible qu'elle soit blessée à la tête ou au cou. La déplacer sans précaution risque d'aggraver la blessure. D'un autre côté, la laisser sur place réduit ses chances de survie. Voici un moyen : trouvez une couverture, faites rouler la personne dessus, rabattez les pans de la couverture sur le corps, saisissez-le puis évacuez la victime la tête la première. Une autre option consiste à la porter à l'extérieur sur l'épaule. Mettez-la debout contre vous, puis baissez-vous pour la hisser sur votre épaule.

7. Si possible, quittez toujours un édifice en feu par le chemin inverse à celui de votre arrivée. S'il est bloqué, sortez par la fenêtre la plus proche. Si vous êtes dans les étages sans aucune possibilité de descendre, ouvrez une fenêtre, passez une jambe dans le vide et agitez un bras. C'est un vieux signal de détresse des soldats du feu, les pompiers présents au sol vous enverront alors une échelle.

SAUVER QUELQU'UN DE LA NOYADE

Se noyer nuit gravement à la santé, aussi est-il conseillé de l'éviter à tout prix. Pourtant, cela n'est pas facile pour certains. Des enfants ne sachant pas nager se ruent dans les piscines, le courant des rivières peut surprendre le nageur le plus confirmé… Même votre chien adoré est capable de plonger s'il veut absolument récupérer le bâton. Pouvoir sauver quelqu'un de la noyade est essentiel dès lors que vous approchez d'un plan d'eau. Mais n'oubliez pas, une personne qui se noie a tendance à paniquer – ce qui n'est bon ni pour elle ni pour son sauveteur. Alors, quand vous approchez, elle essaie de vous attraper, elle se débat, et risque de vous entraîner au fond avec elle. Raison pour laquelle il ne faut se jeter à l'eau qu'en dernier ressort. Essayez tout d'abord de lui tendre une perche ou de lui envoyer un objet flottant.

À prévoir

Une corde

Une serviette

Une perche ou une rame

Un objet flottant (sac isotherme, pneu, bateau gonflable)

Un bateau

COMMENT FAIRE

1. Si la personne est consciente et assez proche de la rive ou du bord de la piscine, écartez les jambes ou mettez-vous à plat ventre afin qu'elle ne vous envoie pas à l'eau, puis tendez-lui ensuite quelque chose à saisir, comme une perche voire une corde (mais la plupart des cordes coulent rapidement).

2. Parlez-lui, dites-lui d'une voix ferme d'attraper ce que vous lui tendez ou lancez. Quand elle s'est accrochée, ramenez-la au bord.

3. Si elle est plus éloignée, lancez-lui un objet flottant : gilet de sauvetage, glacière ou même votre roue de secours.

4. Si elle est trop loin pour lui lancer quelque chose, vous pouvez la rejoindre en bateau, voire à la nage en dernière extrémité.

5. Si vous devez vous jeter à l'eau, arrivez derrière la personne à secourir en lui parlant. Dites-lui que vous allez la ramener en sécurité. La voix a souvent un effet apaisant.

6. Arrivé près de la victime, assénez-lui un grand coup de gourdin sur la tête pour l'assommer. Non, je plaisante. Approchez-la par derrière, passez-lui un bras autour du torse et revenez sur la berge en nageant sur le côté. Dites-lui de se détendre, de se laisser flotter sur le dos.

7. Si, une fois sur la rive ou à bord du bateau, la personne est sans connaissance, déployez vite vos aptitudes de secouriste, cela pourrait lui sauver la vie. Même si elle paraît morte, ce n'est souvent pas le cas.

LE MASSAGE CARDIAQUE

Bien des choses provoquent l'arrêt respiratoire ou cardiaque. Notamment un infarctus, un choc, une overdose, une électrocution ou passer à deux doigts de la noyade. Quand cela se produit, il est possible de maintenir la victime en vie en pratiquant un massage cardiaque jusqu'à l'arrivée des secours.

À prévoir

Un téléphone

Savoir pratiquer un massage cardiaque

De l'empressement à poser sa bouche sur celle d'un(e) inconnu(e)

COMMENT FAIRE

1. Appelez les services d'urgence.
2. Allongez la victime sur le dos, inclinez sa tête en arrière, levez-lui le menton et vérifiez si elle respire, soit en approchant l'oreille, soit en regardant si la poitrine se soulève.
3. Vérifiez que rien n'obstrue les voies aériennes ou que la victime n'avale pas sa langue, ce qui expliquerait l'arrêt respiratoire. Si un corps étranger l'étouffe, ôtez-le avec les doigts ou pratiquez la manœuvre d'Heimlich.
4. Si elle ne respire toujours pas, il faut lui faire du bouche-à-bouche. La victime doit être allongée sur le dos, le menton relevé.
5. Tenez-lui délicatement la tête en arrière avec deux doigts posés sous le menton. Placez l'autre main sur son front, puis pincez-lui le nez avec le pouce et l'index.

6 Soufflez de l'air dans la bouche de la victime, en ayant soin de bien recouvrir sa bouche avec la vôtre. La poitrine doit se soulever quand vous insufflez, retomber quand vous cessez. Recommencez plusieurs fois.

7 Si elle reprend sa respiration, arrêtez. Sinon, prenez-lui le pouls carotidien avec deux doigts posés sur un côté du cou, juste au-dessus de la pomme d'Adam. S'il bat, continuez le bouche-à-bouche jusqu'à ce qu'elle respire toute seule ou l'arrivée des secours.

8 En l'absence de pouls, posez le « talon » d'une main au centre de sa poitrine, juste au-dessus du sternum. Puis posez l'autre main par-dessus et entrelacez les doigts.

9 À genoux, le torse droit et les bras tendus, appuyez fermement sur la poitrine et répétez le mouvement une dizaine de fois à raison d'un par seconde.

10 Après 10 pressions du sternum, insufflez 2 bouffées d'air. Poursuivez le cycle (10 pressions, 2 insufflations) jusqu'à l'arrivée des secours.

FAIRE ET NE PAS FAIRE

✗ Ne jamais pratiquer un massage cardiaque sur quelqu'un qui n'en a pas besoin. Vous aggraverez les lésions existantes.

✓ Vérifier fréquemment si la victime respire à nouveau. Si oui, cessez le massage.

SAUVETAGE EN MONTAGNE

Un sauvetage en montagne ne concerne ni les petites natures ni les mous du genou. Comme l'escalade d'ailleurs. Pour secourir quelqu'un sur une paroi ou redescendre une victime d'une mauvaise chute, il faut de bonnes notions de survie en extérieur et de secourisme. En outre, de solides bases d'alpinisme sont les bienvenues.

À prévoir

- Une trousse d'urgence
- Des bâtons (attelles)
- Des cordes d'escalade
- Un harnais de sécurité
- Du tissu pour confectionner écharpes et bandages
- Une civière ou un brancard

COMMENT FAIRE

1. Avant de vous précipiter sur une paroi glacée ou à travers une étendue de poudreuse, assurez votre propre sécurité et pensez à ce que vous ferez une fois près de la victime.

2. Si vous êtes suspendu à une corde, il est primordial d'inciter la victime à garder son calme et à se mettre à l'abri des chutes de pierres. Quand vous l'avez rejointe, dites-lui ce que vous comptez faire.

3. Prodiguez avant tout les premiers soins. Si la victime ne peut marcher, ne la déplacez pas hormis danger imminent. Dans le cas contraire, posez-lui des attelles sur d'éventuelles fractures des membres.

4. Mise en écharpe d'un bras fracturé : pliez un grand morceau de tissu en triangle, passez la base sous le membre blessé et nouez les deux pointes autour du cou de la victime.

5 En cas de fracture de l'avant-bras ou du poignet, posez des attelles de chaque côté, et attachez-les avec des bandes de tissu. Puis mettez le bras en écharpe.

6 Procédé identique pour une jambe. Placez une planche ou un bâton allant de l'aine au talon de chaque côté. Posez une compresse sur la blessure, puis attachez les attelles au niveau de l'aine, de la cuisse, du genou et de la cheville.

7 Pour redescendre de la montagne une victime d'une grave blessure, vous aurez besoin d'une civière ou d'un brancard et de plusieurs cordes. Déplacez-vous doucement, choisissez l'itinéraire le plus sûr et le plus facile, pas nécessairement le plus rapide.

CHAPITRE

6

SURVIVRE

Sauver les autres est le mode de vie naturel du héros, mais comment secourir quelqu'un dans l'eau sous la glace si vous passez à travers aussi ? En d'autres termes, si vous négligez votre propre sécurité, ce n'est pas la peine de veiller à celle des autres. Un héros doit connaître toutes les techniques qui lui permettront de survivre seul dans les immensités sauvages. Intrépides explorateurs et héros prédisposés à l'aventure sont donc invités à lire ce chapitre avec attention.

TROUVER DE L'EAU

Même si une faim de loup vous tenaille, mieux vaut trouver de l'eau d'abord. Un homme peut tenir dix jours sans manger, mais un jour ou deux sans boire constitue une rude épreuve. Pour trouver de l'eau, il s'agit surtout de chercher au bon endroit.

À prévoir

- Un bout de tuyau
- Du tissu
- Un récipient
- Des comprimés pour purifier l'eau
- Un couteau ou une machette

COMMENT FAIRE

1. L'eau s'amasse dans les failles rocheuses et les troncs d'arbre creux. Siphonnez-la ou utilisez un ustensile pour la recueillir. Si la tâche s'avère trop difficile, trempez un tissu dedans puis essorez-le.
2. Purifiez l'eau avec des comprimés spéciaux ou faites-la bouillir 10 mn.
3. La neige et la glace sont de bons palliatifs, mais faites-les fondre d'abord pour éviter un coup de froid ou la diarrhée.
4. Étêtez les cactus pour prendre la pulpe à l'intérieur, et pressez-la au-dessus d'un récipient.
5. Les bambous contiennent de l'eau. Courbez une tige sur un récipient et coupez-la.
6. Les bananiers sont également de bonnes sources d'eau. Coupez un arbre à 15 centimètres du sol environ, puis creusez une cavité dans la souche, qui s'emplira d'eau provenant des racines.

TROUVER SON CHEMIN SANS BOUSSOLE

Il n'y a aucune honte à s'égarer. Cette mésaventure est arrivée à plusieurs héros historiques (cf. Christophe Colomb). Ce qui pourrait ternir votre image de grand aventurier, c'est de ne pas retrouver le chemin du retour. Pas besoin de cartes ou d'une boussole, il suffit de ne pas perdre le nord.

QUE FAIRE

1. Une montre peut servir de boussole. Tenez-la parallèlement au sol, l'aiguille des heures pointée vers le soleil. Puis imaginez une droite coupant en deux le triangle constitué par cette aiguille et le 12 du cadran. Le haut de la droite indique le sud dans l'hémisphère Nord, le nord dans l'hémisphère Sud.

2. Si vous avez une montre digitale, notez l'heure et dessinez un cadran, avec du papier et un crayon, ou directement par terre avec un bâton. Puis appliquez le procédé ci-dessus.

3. Si vous n'avez pas de montre, dénichez un bâton droit d'environ 1 mètre de long, et plantez-le dans le sol afin qu'il projette une ombre. Marquez le sommet de l'ombre avec une pierre. C'est la marque ouest. Attendez un quart d'heure, puis recommencez et vous obtenez la marque est. Tracez une droite passant par ces 2 marques, c'est l'axe est-ouest. Tracez une autre droite perpendiculaire à la première, c'est l'axe nord-sud. En plaçant votre pied gauche sur la marque ouest, votre pied droit sur la marque est, vous ferez toujours face au nord. Cette méthode fonctionne dans les deux hémisphères.

suite page 99

suite

4 Si vous êtes égaré la nuit, vous pouvez vous orienter grâce aux étoiles. Dans l'hémisphère Nord, repérez l'étoile Polaire, située dans la Petite Ourse. Imaginez une ligne reliant les deux premières étoiles de la constellation, et prolongez-la de cinq fois sa longueur. Elle mène à l'étoile Polaire. Ensuite, tracez une autre droite imaginaire de cette étoile vers la Terre, et vous avez la direction du nord.

5 Dans l'hémisphère Sud, il faut localiser la Croix du Sud. Regardez ensuite les deux étoiles qui composent la branche la plus longue de la constellation, puis suivez cette ligne sur cinq fois sa longueur. Vous obtenez alors un point à partir duquel une droite imaginaire vers la Terre indique à peu près la direction du sud.

FAIRE ET NE PAS FAIRE

✗ Ne pas essayer de marcher en ligne droite en pensant ainsi ne pas s'écarter de la direction. Mieux vaut repérer à l'horizon un point vers lequel se diriger. Et ainsi de suite une fois atteint.

✗ Ne pas paniquer si le ciel est couvert. Ce n'est ni héroïque ni nécessaire. Il faut attendre et espérer une éclaircie. Dès qu'elle survient, dépêchez-vous de prendre les bons repères.

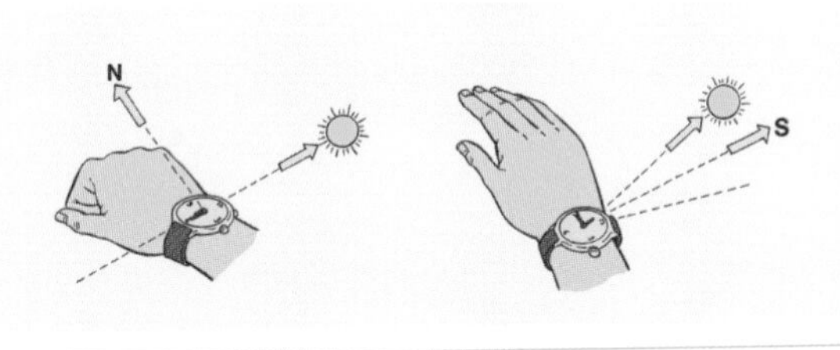

ALLUMER UN FEU

Si vous n'avez pas de briquet ou d'allumettes sur vous, gardez espoir. Il existe d'autres moyens d'allumer un feu. Vous pouvez essayer d'embraser une amorce en faisant des étincelles avec des pierres ou du fer, ou bien avec une loupe qui concentre la chaleur du soleil. En cas d'échec, il reste une méthode bien plus délicate : par friction de bois.

À prévoir

- Un bâton droit de bois dur (la baguette)
- Un morceau de bois plat, sec et tendre (le socle)
- Un morceau de bois dur qui tient dans la main (la poignée)
- Un lacet
- Un bâton flexible de 50 cm (l'archer)
- Herbes sèches, aiguilles de pin ou brindilles (l'amorce)

COMMENT FAIRE

1. Taillez en pointe une extrémité de la baguette, et arrondissez l'autre.
2. Faites une petite cavité au milieu du socle (une planchette de bois plate), assez grande pour loger le bout arrondi de la baguette.
3. Découpez une encoche en V entre la cavité et l'un des bords proches du socle. Elle servira à récupérer la sciure et les braises produites, qui enflammeront l'amorce.
4. La poignée va vous permettre d'appuyer fermement sur la baguette. Pour l'empêcher de riper, creusez un petit trou au milieu dans lequel la pointe de la baguette s'insère étroitement.
5. Attachez le lacet à chaque bout de la baguette tout en l'enroulant une fois autour de l'archer.
6. Posez le socle au sol afin que l'encoche soit près de l'amorce. Insérez le bout

arrondi de la baguette dans le trou du socle et maintenez-la fermement en place avec la poignée.

7. Imprimez des mouvements de va-et-vient à l'archer, à un rythme régulier, ni trop rapide ni trop lent. Vérifiez que la baguette reste bien en contact avec le socle. La friction va finalement produire de la fumée et des braises qui vont s'évacuer par l'encoche et entrer en contact avec l'amorce.

8. Quand cela arrive, ajoutez brindilles ou herbes sèches, puis soufflez doucement pour attiser les braises. Ensuite, alimentez vite et avec précaution le feu naissant.

FAIRE ET NE PAS FAIRE

- ✗ Ne pas se décourager si cette méthode prend du temps. La bonne nouvelle, c'est que vous serez bien réchauffé ensuite.
- ✗ Penser à ramasser beaucoup de petit bois avant de commencer.

FAIRE UN ABRI

Même si vous êtes capable de rentrer chez vous, vous devrez peut-être trouver de l'eau, des vivres, voire un abri en chemin. Besoin de vous abriter, pourquoi ne pas confectionner un appentis, un écran de matériaux naturels posé contre un arbre ou un rocher ?

À prévoir

Des tiges et des bâtons

De grosses branches droites

Du feuillage

De la boue

De la corde ou des rameaux de vignes

COMMENT FAIRE

1. Pour faire un appentis, il faut des branches grosses comme le poignet et de plus petites.
2. Au sol, faites un grand cadre avec les grosses branches droites, et attachez-les l'une l'autre à chaque coin.
3. Dans ce cadre, faites un treillis à l'aide de bâtons et de tiges liés ensemble.
4. Appuyez la structure contre un arbre ou un rocher et recouvrez la partie externe de feuillage. Il est plus sûr d'enchevêtrer les branchages dans le treillis.

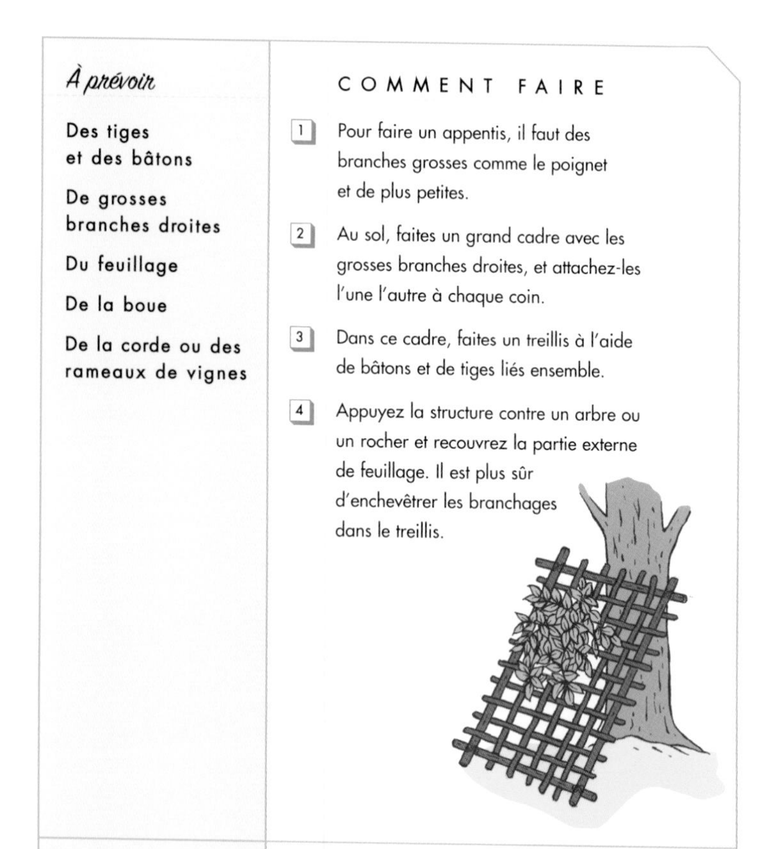

REDRESSER UN BATEAU

Si vous voguez sur un grand voilier – disons 6 mètres ou plus – et qu'il chavire, l'attitude la plus héroïque à adopter est de s'accrocher à un objet flottant jusqu'à l'arrivée des secours. Une personne seule ne peut redresser un grand bateau retourné en mer. C'est impossible. Mais il n'en va pas de même avec un canot. Dans ce cas, enfilez un gilet de sauvetage et jetez-vous à l'eau. C'est le moment d'être un héros.

À prévoir

Un canot retourné

Tout le poids de votre corps

COMMENT FAIRE

1. Montez sur la coque du canot, et placez-vous au centre, d'un côté ou l'autre de la dérive.
2. Saisissez l'extrémité de la dérive et tirez dessus avec tout votre poids. Si le canot ne se redresse pas, mettez-vous debout sur la base de la dérive. Trop près de l'extrémité, vous risquez de la briser.
3. Une fois que le bateau commence à basculer, continuez à pousser de tout votre poids avec les pieds.
4. Quand la dérive touche l'eau, attrapez un côté du canot et suspendez-vous-y. Essayez de vous hisser sur un bord, ainsi vous serez à l'intérieur quand il se redressera. Si vous n'êtes pas dans le bateau à cet instant, éloignez-vous quand il se retourne afin de ne pas vous retrouver coincé dessous.

ÉVITER D'ÊTRE CAPTURÉ

On ne peut pas toujours vaincre les méchants, surtout s'ils sont plus nombreux. En fait, la force brutale n'est pas nécessairement un attribut majeur du héros. Il doit être intelligent – parfois, cela signifie se sauver et récupérer. Si vous êtes pourchassé en territoire ennemi, pas question d'être capturé. Voici comment s'assurer que cela n'arrive pas :

QUE FAIRE

- ✓ En situation de danger immédiat, cachez-vous et restez tranquille. Essayez toutefois de ne pas vous réfugier dans un lieu à une seule issue – afin de ne pas vous retrouver acculé. Les champs de hautes herbes ou de maïs constituent d'excellentes cachettes en extérieur.
- ✓ Vous ne pouvez rester terré et espérer échapper aux méchants. Une fois le danger initial passé, il faut bouger. Glissez-vous dans un cours d'eau et suivez le courant un bon moment. Sautez dans des trains pour de courts trajets. « Empruntez » des vélos.
- ✓ Dans un immeuble, essayez de vous réfugier sur le rebord d'une fenêtre, grimpez sur un toit voisin ou descendez par l'escalier de secours.
- ✓ Efforcez-vous de ne pas laisser de traces. Sur de la neige ou sur un sol meuble, effacez vos empreintes ou marchez dedans à rebrousse chemin pour envoyer vos poursuivants sur une fausse piste.
- ✓ S'enfuir en voiture est plus difficile qu'à pied. Les voitures ne sont pas faciles à dissimuler. Essayez d'entraîner vos poursuivants dans un quartier de ruelles – surtout utile si vous le connaissez. Tournez souvent, repérez des allées ou des garages où vous engouffrer sans être vu. Une fois hors de danger, abandonnez le véhicule. Trouvez-en un autre ou marchez.

SURVIVRE À UN TSUNAMI

Un tsunami est un ensemble de hautes vagues engendrées par des séismes ou des éruptions volcaniques survenant au fond de l'océan. L'onde de marée peut venir de loin, avoir la hauteur d'un bâtiment de 10 étages, pénétrer profondément à l'intérieur des terres et ravager des villes. Les tsunamis peuvent se produire en théorie dans tous les océans, mais touchent surtout le Pacifique. L'archipel du Japon est le plus frappé par cette catastrophe, une fois tous les six ou sept ans en moyenne.

Dans la plupart des pays existent des organismes de veille qui alertent les résidents à l'approche d'un tsunami. Mais pas toujours. Le meilleur moyen de survire à ce phénomène consiste à repérer les signes avant-coureurs. Puis rejoignez un lieu en hauteur, et rejoignez-le fissa.

QUE FAIRE

- ✓ Si vous ressentez un séisme sur le littoral, un tsunami arrive peut-être. N'attendez pas d'en avoir la certitude.
- ✓ Il provoque un net recul des eaux avant son arrivée. Si vous constatez cela, réfugiez-vous en hauteur.
- ✓ Collines, hauts immeubles, ou gagner l'intérieur des terres augmentent vos chances. Ne grimpez en haut d'un grand arbre solide qu'en dernier recours. Les petits risquent d'être emportés par la déferlante.
- ✓ N'oubliez pas qu'un tsunami est une succession de vagues, et la deuxième sera sans doute plus puissante que la première.
- ✓ Si vous êtes emporté par l'onde de marée, accrochez-vous à un débris flottant. Elle reflue ensuite très vite vers la mer. Ne tentez pas de lutter contre le courant, vous ne feriez que vous épuiser. Votre seule chance est de vous laisser entraîner et d'attendre les secours.

SURVIVRE À UN CRASH AÉRIEN

Les héros ont le plus souvent l'occasion de tester leurs nerfs et leur bon sens lorsqu'il s'agit de survivre. Mais pas quand il s'agit de survivre à un crash aérien. Aussi difficile à accepter que ce soit, la chance est plus déterminante que la science quand l'avion dans lequel vous avez pris place perd un moteur en vol. Cela dit, pareilles catastrophes sont fort rares – la probabilité est de 1 sur 9 millions. Et même quand un avion s'écrase, les chances de survie restent de 95 %. Pas mal, même si des risques persistent. Voici quelques conseils afin de rallonger votre espérance de vie si votre avion se transforme en fer à repasser, et quelques autres s'il doit effectuer un atterrissage forcé.

QUE FAIRE

1. Avant d'embarquer, habillez-vous en prévision – en prévision d'un crash aérien, bien entendu. Si vous êtes vivant après la catastrophe, l'épave sera sans doute en feu, il faudra sortir vite, et des habits amples risquent de s'accrocher çà et là. Portez un jean, une chemise à manches longues, et des chaussures à lacet afin de protéger le dessus de vos pieds des débris brûlants. Évitez le polyester, la laine et toutes autres matières inflammables. Une fois hors de l'avion, il risque de faire froid et vous devrez vous réchauffer. Prenez une veste, au cas où.

2. Réservez toujours des places sur l'allée ou près de la sortie. Si vous survivez au crash, il est vital de sortir de l'appareil. Si tout est déjà réservé près de la sortie, prenez des places sur l'allée vers la queue de l'avion. Une étude accorde aux passagers du fond 40 % de chances supplémentaires de survie par rapport à ceux de l'avant.

3. Une fois à bord, lisez les consignes d'urgence, écoutez les instructions de l'hôtesse. Oui, oui, vous les avez déjà entendues, mais écoutez quand même, cela ne fait pas de mal. Repérez les issues les plus proches, pensez comment les atteindre vite. Comptez les rangées de sièges entre vous et les sorties, ainsi vous pourrez les rejoindre dans l'obscurité.

4. Mettez la ceinture de sécurité et ajustez-la bien autour de votre taille. Chaque centimètre de jeu triple la gravité qu'encaisse votre corps.

5. Quand l'avion chute, enfilez un gilet de sauvetage (au-dessus de la mer) ; prenez une veste ou une couverture (au-dessus des montagnes).

6. Mettez-vous en position. Redressez votre siège et posez vos mains l'une sur l'autre contre le dossier du siège devant vous. Gardez aussi les jambes en avant (les fractures de la jambe sont fréquentes lors des crashs aériens car les passagers mettent leurs pieds sous leur siège).

7. Après impact au sol, défaites votre ceinture de sécurité et dirigez-vous vite vers une issue. N'emportez rien d'autre qu'une veste. Baissez-vous, surtout s'il y a de la fumée. Gardez votre sang-froid car les survivants vont paniquer et risquent de vous piétiner. Ne les laissez pas faire. Restez concentré et écoutez les consignes de l'hôtesse. En cas de fumée, recouvrez-vous la bouche et le nez avec un tissu humide afin de mieux respirer.

8. Une fois sorti de l'avion, éloignez-vous rapidement. Les compagnies recommandent de se tenir sous le vent à 50 mètres environ en cas d'explosion de l'appareil.

9. Si vous finissez à l'eau, enlevez vos chaussures et les vêtements superflus pour nager sans être entravé. Éloignez-vous aussi loin que possible du crash, mais restez à portée de vue afin que les sauveteurs vous localisent.

CHAPITRE

7

L'APANAGE DU SUPER HÉROS

Terminé les fondamentaux, c'est le moment de franchir un pallier et de passer aux actes héroïques qui constituent en général l'apanage de types portant cape et collants – les super héros. Bien sûr, point question de percer l'acier avec sa vision laser ou de survoler la planète à vitesse supersonique – il faudrait un ouvrage plus consistant. Nous allons, en revanche, traiter de faits que la plupart des humains ne pourraient (et peut-être ne devraient) jamais accomplir. Enfilez vos tenues moulantes et bariolées, les gars, il est temps de se démener.

SAUTER D'UNE RAMPE EN VOITURE

Les activités de héros et de cascadeur ont beaucoup de points communs, notamment celui de franchir des obstacles en voiture. En fait, cela n'est pas un hasard si la plupart des héros font carrière dans le cinéma et si la majorité des cascadeurs a eu l'occasion de se conduire en véritable héros. Et si vous pensez que sauter d'une rampe en voiture ne sert à rien, détrompez-vous. Presque chaque fois que l'on est pourchassé derrière les lignes ennemies, qui plus est en possession de codes secrets, c'est vital pour passer par-dessus la frontière ou franchir un torrent.

QUE FAIRE

1. Pour sauter d'une rampe en voiture, il faut avoir des notions de physique. La longueur du saut dépend du poids du véhicule, de la vitesse et de l'inclinaison de la rampe. Impossible d'exécuter un tel saut sans rampe, donc si vous êtes derrière les lignes ennemies et qu'il faut passer la frontière, aménagez la rampe à l'avance.

2. Si la rampe est inclinée à 45 degrés, vous ne devez pas arriver trop vite car l'avant du véhicule va la percuter et votre saut sera compromis. Réglez le problème en allongeant la rampe.

3. Il faut atteindre une vitesse d'au moins 60 km/heure pour effectuer un saut de 7 mètres, prévoyez donc la place de vous élancer.

4. Il est primordial que les deux roues avant touchent la rampe en même temps, sinon, vous risquez de sortir de la rampe par un côté.

5. Mieux vaut prévoir une rampe d'atterrissage de l'autre côté pour se poser en douceur et éviter de se briser le dos, entre autre. Idéalement, elle doit avoir la même inclinaison que la rampe de saut.

6. Prévoyez aussi beaucoup de place à l'arrivée, ainsi vous aurez le temps de maîtriser le véhicule et de vous arrêter.

FAIRE ET NE PAS FAIRE

✓ S'entraîner. Il ne s'agit pas d'une action qui s'improvise. Il ne suffit pas de fermer les yeux, accélérer et prier. Vous devez savoir exactement ce que vous faites, alors, si vous prévoyez de sauter en voiture d'une rampe, entraînez-vous.

✗ Ne pas se surestimer. Commencer par de petits sauts afin d'acquérir confiance et technique, puis passer à des bonds plus audacieux.

CONDUIRE UN BUS À TOUTE VITESSE

Un scénario fort improbable, mais un vrai héros doit être paré à toutes situations. S'il est aisé de rouler à toute allure en voiture, c'est une autre paire de manches avec un gros bus peu maniable. Il est plus grand, plus difficile à manœuvrer et moins stable. Et vous devez y parvenir avec sang-froid, car vous serez alors responsable de la sécurité d'une cinquantaine de passagers, en plus de la vôtre.

QUE FAIRE

1. Connaître le véhicule. Il existe des différences fondamentales entre une auto et un bus. Hormis les évidents écarts de taille et de poids, les bus ont en général des moteurs diesels, des freins hydrauliques très puissants, et les vitesses se passent en double débrayage.

2. En raison de son centre de gravité élevé, le bus se renversera si vous abordez trop vite un virage. Il va d'abord chasser de l'arrière, et étant au volant, vous risquez de vous en rendre compte trop tard. Tendez l'oreille vers d'éventuels cris des passagers du fond, et tenez-vous prêt à réagir.

3. Si votre bus incontrôlable a toujours des freins, vérifiez qu'il reste assez de pression, c'est en général indiqué en vert sur la jauge. Ne jamais pomper sur la pédale de frein, cela relâcherait la pression, bloquerait les freins et le bus s'immobiliserait instantanément, en raison d'un dispositif de sécurité intégré.

FAIRE ET NE PAS FAIRE

X Ne pas diriger votre bus incontrôlable vers une zone d'habitation ou une école, mais sur un grand axe, voire la piste d'un aérodrome.

TRAVERSER UNE FENÊTRE

Vous essayez de désamorcer une bombe, mais cela se passe mal, vous cherchez donc une issue de dernière minute. Pensez au bon vieux plongeon par la fenêtre. Assurez-vous cependant de deux choses : que la fenêtre en question est bien située au rez-de-chaussée et qu'elle est ouverte. Si ce n'est pas le cas et s'il n'y a pas d'autres issues, vous devrez désamorcer la bombe.

À prévoir

Une grande fenêtre (au rez-de-chaussée si possible)

Du courage

COMMENT FAIRE

1. Prenez un bon élan et poussez sur vos jambes. Votre corps doit être à l'horizontale, très légèrement incliné durant le saut.
2. En passant à travers la fenêtre, baissez la tête pour ne pas vous cogner. Puis exécutez un roulé-boulé à l'atterrissage.
3. Touchez le sol les mains les premières, largement écartées, et amortissez la chute grâce aux muscles des bras.
4. Après contact avec le sol, rentrez la tête de manière à le toucher du dos de l'épaule (d'où l'inclinaison du saut, sinon on se casserait le cou), puis enchaînez par une roulade pour vous relever.
5. Correctement accompli, le roulé-boulé ne ralentit pas votre retraite, mais vous donne au contraire de l'élan.

ARRACHER UN ENFANT AUX DANGERS DE LA CIRCULATION

Bien des situations héroïques demandent une réflexion rapide ou, plus précisément, pas de réflexion du tout. Juste de l'action. Si vous voyez un enfant courant après un ballon surgir sur la route devant une voiture qui arrive, vous n'aurez que quelques secondes pour réagir d'instinct. Prenez le temps de réfléchir et la tragédie sera consommée avant même que vous n'ayez pu vous jeter sur le passage du véhicule.

QUE FAIRE

1. Se précipiter vers l'enfant.
2. En courant, concentrez-vous sur son torse ou son dos et tendez le bras. Vous allez le saisir en lui passant un bras autour du torse, sous les aisselles.
3. Ne ralentissez pas en atteignant l'enfant. Saisissez-le du bras et plongez en avant.
4. Dans les situations désespérées, vous ne pourrez qu'écarter l'enfant et vous faire percuter à sa place. Ce n'est pas l'idéal, mais vous avez plus de chances que lui de survivre à un tel accident. Un vrai héros ne laissera pas une voiture faire de mal à un enfant s'il peut l'empêcher.
5. En cas de choc inévitable, essayez de sauter juste avant l'impact afin de rouler sur le capot et à travers le pare-brise. Sinon vous serez touché par le pare-chocs et vous passerez sous le véhicule, ce qui n'optimise guère les chances de survie.

INTERVENIR EN CAS D'AGRESSION

Les héros sont appelés à faire toutes sortes de choses discutables que le simple mortel ne devrait jamais entreprendre. Comme intervenir au cours d'une agression, selon certains. Il existe moult histoires à propos de gens l'ayant fait et en ayant péri. Mais nous parlons d'héroïsme, alors si vous voyez un malfaiteur s'en prendre à une pauvre femme, c'est votre devoir d'intervenir. Pas de précipitation néanmoins, mieux vaut ne pas envenimer la situation.

QUE FAIRE

1. Quand vous assistez à une agression (une bagarre, une personne pointant un pistolet sur une autre, ou si vous entendez crier « arrêtez-le » ou « au secours »), prévenez toujours police-secours si vous avez le temps.
2. Ensuite, intimez à l'agresseur de s'arrêter, criez-lui que vous appelez la police. Quand un malfaiteur sent que ça tourne mal, il détale le plus souvent.
3. Si vous êtes sûr qu'il n'a ni arme blanche ni arme à feu, vous pouvez vous précipiter sur lui en criant. Cela peut l'intimider et le mettre en fuite.
4. Les voleurs de sacs à main les arrachent en courant. Si l'un vous passe à côté, tendez la jambe pour lui faire un croche-pied, ou essayez de le renverser d'un coup d'épaule dans le torse. Surpris de la sorte, le voleur abandonne souvent sa prise sans demander son reste. Vous pouvez tenter de le maintenir au sol pour lui faire rendre son butin ou attendre l'arrivée de la police, mais mieux vaut être sûr de son coup.
5. Enfin, observez bien l'agresseur et rapportez les faits à la police.

MAÎTRISER UN CHEVAL EMBALLÉ

Si aventure est votre deuxième prénom, vous devez connaître des situations d'urgence qui n'ont rien à voir avec les catastrophes naturelles. Les gens travaillant avec des chevaux ou les cascadeurs de cinéma spécialisés dans les westerns ont parfois à maîtriser un cheval emballé.

Si cela vous arrive, sachez que les chevaux sont imposants, puissants, mais pas des plus courageux. Comme ils ont longtemps été pourchassés au cours de leur histoire, ils ont la réaction naturelle de s'enfuir au moindre mouvement ou grand fracas sans se poser de questions. Ils prennent peur facilement.

QUE FAIRE

1. D'abord, restez calme. Si un cheval qui s'emballe a sur le dos un humain affolé qui crie, il va s'emballer encore plus.
2. Assurez-vous que le problème ne vient pas de vous. Ne pressez pas vos talons sur les flancs de l'animal. N'agitez pas les bras.
3. Dirigez le cheval à découvert, penchez-vous en avant et saisissez une des rênes aussi près que possible du mors.
4. Tirez sur la rêne tout en vous asseyant bien. Cela va obliger le cheval à tourner la tête d'un côté, il va commencer à courir en cercle. Vérifiez que la rêne opposée est assez lâche pour compenser la traction sur la première.
5. L'idée, c'est de faire tourner le cheval en rond jusqu'à ce qu'il se fatigue, puis se calme assez pour répondre comme à l'accoutumée aux termes « stop », « Hoo » ou tout autre commandement censé l'arrêter.

Si vous vous retrouvez sur le dos d'un cheval emballé, une option consiste à le laisser aller plutôt qu'essayer de l'arrêter. Pour cela, concentrez-vous sur votre assiette tout en vous décontractant. Des muscles crispés contre ses flancs incitent l'animal à allonger la foulée. Gardez aussi le buste bien droit afin d'éviter de passer par-dessus son encolure s'il stoppe brutalement. Vous finirez bien par reprendre le contrôle, alors restez calme, ne paniquez pas, prenez le rythme de la chevauchée jusqu'à ce que le cheval s'apaise.

S'il n'est pas possible de rester en selle, une alternative demeure : l'arrêt d'urgence. Si vous foncez vers la circulation, des branches basses ou tout autre danger potentiel, ce sera même la seule solution. Ce procédé ne marche pas avec tous les cavaliers, tous les chevaux ou dans tous les cas. Son efficacité dépend de votre niveau en équitation et de l'entraînement de l'animal.

PARER LES ATTAQUES D'ANIMAUX SAUVAGES

À jouer les héros dans les grands extérieurs, vous risquez de rencontrer une nouvelle menace : les animaux sauvages. Ils n'ont ni pistolet ni cran d'arrêt – seulement des griffes, des crocs et un instinct féroce qui les rendent plus effrayants qu'un agresseur chétif ou un cambrioleur. Voici des suggestions pour faire face à certains des plus dangereux spécimens de la jungle.

LES OURS

À moins d'être surpris ou de protéger leurs petits, les ours ne sont en général pas agressifs envers l'humain. Si vous tombez sur un ours noir, reculez doucement, en agitant les bras, en criant ou en sifflant. Le plus souvent, il s'éloigne. Mais ne faites pas la même chose devant un grizzly, vous obtiendriez l'effet inverse. Dans ce cas, un seul espoir : s'allonger au sol, faire le mort et priez qu'il parte.

LES FÉLINS

Si vous croisez un félin, la pire chose serait de faire demi-tour et de vous enfuir. Un félin fond sur ses proies et les attaque toujours par derrière. Mieux vaut lui faire face, agiter les bras, hurler ou siffler.

LES CROCODILES

Les crocodiles sont souvent confondus avec du bois flottant jusqu'à ce qu'il ne soit trop tard, aussi en combattre un a de quoi décontenancer le plus héroïque des aventuriers. Évitez si possible leurs territoires – animaux assoiffés et autochtones manchots sont de bonnes indications de leur présence. Si un crocodile se précipite sur vous, faites le mort, puis espérez qu'il vous ignore et préfère une proie plus vive.

LES ÉLÉPHANTS

À moins de se trouver en Afrique ou en Inde, il est peu probable de voir des éléphants lors d'une excursion. Si cela vous arrive, et que les pachydermes se mettent à vous charger, le mieux est de rester parfaitement immobile. Le plus souvent, c'est de l'intox, et s'ils voient que leurs masses, leurs grandes oreilles ballantes et leurs barrissements puissants ne vous impressionnent pas, ils repartiront élaguer les arbres alentour.

LES REQUINS

Les requins attaquent souvent par en dessous, ils essaient de couper leur proie en deux d'un seul coup de mâchoire – un sort des moins enviables. Cela signifie que l'on a peu de chances de voir approcher son infâme aileron. Restez donc attentif à la présence d'autres baigneurs et des avertissements d'éventuels maîtres nageurs. Évitez également de vous baigner avec une plaie ouverte – l'aptitude des squales à sentir le sang est légendaire.

LES SERPENTS

Les serpents mordent en général un humain quand ils sont surpris et effrayés. Le mieux pour éviter la chose est de faire attention où l'on marche, et aussi quand on s'assoit sur un tas de bois dans une région où les reptiles pullulent.

ASTUCE

En cas de morsure de serpent, n'entaillez pas la plaie avec un couteau. Si elle est superficielle, aspirez juste le sang par les marques des crochets environ cinq minutes, en recrachant le venin. Si elle est plus profonde, maintenez-la au-dessous du cœur, desserrez les vêtements et allez à l'hôpital.

DISSUADER QUELQU'UN DE SE JETER DANS LE VIDE

Imaginez que vous marchez dans la rue, et que vous voyez la foule regarder une personne debout sur la corniche supérieure d'un bâtiment de 12 étages. Vous pourriez croire qu'il s'agit d'un autre super héros qui s'apprête à prendre son envol. Rappelez-vous alors que personne ne détient la capacité de voler, ce qui devrait vous conduire à une autre conclusion : la personne est sur le point de se jeter dans le vide. Soudain, c'est vous le véritable super héros.

QUE FAIRE

1. Tout d'abord, restez calme et prévenez les services d'urgence. Si quelqu'un a l'expérience de ces situations, laissez-le faire. Ne vous impliquez qu'en dernier recours. Il faut alors approcher la personne en douceur et commencer à lui parler.

2. Affichez une autorité bienveillante envers la personne. Vous pouvez penser qu'elle a besoin d'une oreille attentive, mais les recherches prouvent que les suicidaires sautent quand même si vous essayez de sympathiser. Faites-lui comprendre que ce n'est pas la solution.

3. Rapprochez-vous de la personne tout en lui parlant, doucement, centimètre par centimètre. Il ne faut surtout pas la bousculer, mais en vous approchant, vous pourrez peut-être l'attraper si besoin.

4. Ne pensez surtout pas que quelques mots vous suffiront à redonner brusquement le moral à une personne en détresse. Cela n'arrivera pas. Elle a besoin de réconfort et vous êtes là pour lui en apporter.

5. Pour la même raison, ne faites pas confiance à une personne suicidaire. Si elle dit qu'elle se sent bien mieux, ne la croyez pas. Continuez à lui parler, à lui dire qu'on va l'aider, que le suicide n'est pas la solution.

ATTRAPER UN VOLEUR

Quand on a été cambriolé, on ne souhaite pas que cela se reproduise. Non seulement on s'est fait voler des biens, mais en plus, quelqu'un s'est introduit chez soi. La virilité en prend un coup. On a été dépouillé à son domicile, on ne peut qu'imaginer le grand sourire du cambrioleur et un grand « IDIOT » imprimé sur notre propre front en lettres capitales. La prochaine fois, on sera prêt.

QUE FAIRE

1. Mieux vaut prévenir un cambriolage que faire face à un voleur. Vérifiez que toutes les portes et les fenêtres sont bien fermées. Cela paraît évident mais, selon les experts, la plupart des cambriolages se produisent dans les résidences où il est facile de pénétrer. Ne laissez pas non plus d'échelle ou de table de jardin dans la cour, les voleurs s'en serviraient pour passer par l'étage.

2. Installez un système d'alarme, l'idéal étant qu'il soit relié au commissariat local. Si vous versez dans la paranoïa, faites installer une surveillance en direct par webcams. Bien sûr, si un voleur s'introduit chez vous, il faudra tenter de le maîtriser.

3. Vous avez tout d'abord besoin de l'effet de surprise. Sinon, les choses risquent de se compliquer.

4. Appelez toujours police-secours d'abord, à condition de ne pas vous faire remarquer. Si vous pensez ne pas pouvoir terrasser l'intrus, quittez les lieux le plus vite possible, puis appelez la police.

5. Si le cambriolage se déroule chez vous, n'oubliez pas que vous connaissez bien mieux les lieux que le voleur. C'est un avantage. Saisissez une poêle, un rouleau à pâtisserie ou toute arme improvisée et assommez-le.

COMMENT ESQUIVER UNE BALLE

Dans la situation hostile où le canon d'une arme est pointé sur vous, l'idéal est d'obtempérer ou de désarmer l'assaillant. Bien sûr, c'est plus facile à dire qu'à faire, et si vous tombez sur un excité de la gâchette, il sera peut-être nécessaire d'esquiver une balle. Forcément, comme vous n'avez pas la vitesse de réaction d'un super héros, c'est perdu d'avance. Vous pouvez néanmoins essayer d'anticiper le tir, puis de vous dissimuler ou de vous enfuir.

QUE FAIRE

1. Pour anticiper le tir, il faut rester très vigilant. Observez l'attitude du tireur. Il devient impatient, énervé, effrayé ? Autant de signes annonçant qu'il risque de tirer. Regardez bien aussi le doigt sur la gâchette et vers où il pointe l'arme. S'il a la main détendue, relâchée, ça va. Mais s'il a les jointures serrées, il s'apprête peut-être à faire feu. Pour esquiver la balle, il faut bouger juste avant que son doigt ne presse la détente.

2. Si vous sentez qu'il va tirer, prenez une impulsion sur une jambe et bondissez sur la droite ou la gauche, selon la main dans laquelle il tient l'arme. Dans la droite, esquivez à gauche, et vice-versa. En effet, il est légèrement plus difficile de viser juste quand on tire en mouvement.

3. Si vous réussissez à esquiver la première balle, ce n'est pas fini. Courrez vous mettre à couvert, et de préférence derrière du solide. Un immeuble, par exemple. Ensuite, arrangez-vous pour rester à l'abri.

4. Si vous fuyez un assaillant dans une étendue à découvert, courrez en zigzag afin qu'il ait du mal à vous ajuster.

SAUTER EN PARACHUTE

Disons que vous combattez les méchants très haut dans le ciel. Vous les avez tous défaits, mais les commandes de votre avion sont hors d'usage et vous n'avez aucune chance de réussir votre atterrissage. Il ne vous reste plus qu'à enfiler un parachute et sauter. Si vous n'avez pas de parachute, oubliez ce chapitre et reportez-vous à *Survivre à un crash aérien*, p. 106.

QUE FAIRE

1. Prenez un parachute, puis cherchez la « poignée » près du bas, attachée à une goupille insérée dans un œillet de métal. C'est elle qu'il faudra tirer pour ouvrir le parachute.

2. Enfilez le parachute. Il se passe comme un harnais d'escalade (autour des jambes et de la taille) et un sac à dos (sangles sur les épaules). Puis tâtez le bas du paquetage pour repérer la poignée – essentiel pour la suite.

3. Vérifiez que l'avion vole bas et qu'il ralentit. Si votre altitude excède les 4 800 mètres, il vous faudra une bouteille d'oxygène pour respirer durant la descente.

4. Le moment venu, allez à l'arrière de l'appareil, ouvrez la porte et sautez. Gardez une position stable de chute libre.

5. Comptez jusqu'à 10, puis saisissez la poignée au bas du paquetage et tirez dessus pour ouvrir le parachute.

6. S'il ne s'ouvre pas, il faut tirer en même temps sur les anneaux situés sur l'avant des sangles des épaules, le parachute de secours se déploie alors automatiquement.

DÉJOUER UN BRAQUAGE

Franchement, tout aspirant héros se réjouirait d'un braquage de banque, et surtout de le déjouer. Problème, cela ne se prévoit pas. Vous ne savez pas si vous serez dans l'agence ou à l'extérieur, sur le trottoir, au moment du forfait. Peut-être aurez-vous entendu des gars comploter leur méfait auparavant, ou passerez-vous en voiture au moment de leur fuite. Dans tous les cas, il faut réagir vite, avec sang-froid, et adopter la bonne tactique.

Bien sûr, face à de méchants braqueurs armés, l'attitude la plus héroïque consiste à s'abstenir. Parfois, un individu voulant jouer les héros finit par exposer les autres et lui-même à un danger plus conséquent. Ne faites surtout pas ça. Montrez-vous plus intelligent, essayez de profiter de l'effet de surprise.

QUE FAIRE

1. Les braqueurs de banque débarquent rarement l'arme au poing. En général, ils entrent et se dirigent vers un guichet. Ils portent souvent un chapeau, des lunettes de soleil et un long manteau. Si vous voyez un individu répondant à ce signalement, prévenez un agent de sécurité.

2. Si vous êtes employé de banque et vivez cette situation, ne laissez pas parler l'individu. Agissez comme si de rien n'était, traitez-le comme s'il venait pour la première fois dans l'établissement et priez-le de vous suivre auprès du chargé de clientèle. Demandez-lui ensuite avec déférence d'ôter son chapeau, ses lunettes de soleil et de vous présenter une pièce d'identité pour l'ouverture du compte. Souvent, trop de courtoisie indispose les braqueurs et ils renoncent.

3. Mieux vaut parfois travailler en équipe pour déjouer un braquage. Personne n'aimant voir voler le fruit de son dur labeur, essayez donc d'obtenir l'appui d'autres clients présents. Si vous arrivez à désarmer le voleur ou à l'immobiliser au sol, donnez vos ordres : « Que quelqu'un appelle la police », ou « Prenez le pistolet », ou encore « Venez m'aider ». Si vous engagez le combat, il est fort probable que d'autres se découvrent une âme de héros et viennent vous prêter main-forte.
4. Vous voyez sortir de la banque un gars masqué, armé, et portant un sac ? Faites-lui un croche-pied, par exemple. Voir *Attraper un voleur*, p. 121.
5. Autre technique efficace, s'emparer du sac. Si vous parvenez à le prendre et à vous enfuir, ou à l'ouvrir et semer les billets, le braqueur laissera certainement tomber.
6. Si vous arrivez en voiture au moment où les braqueurs s'enfuient, percutez-les, eux ou leur véhicule. Ne vous inquiétez pas, la police ne vous dressera pas de PV si vous aidez à capturer des bandits.

LE HÉROS RÉEL

Pour être un réel héros, pas besoin d'aménager un repaire secret dans sa cave, de devenir un vigile mal perçu, voire de s'acheter une cape ornée d'un logo. Comme vous venez de le voir, l'héroïsme prend de multiples formes, il est indispensable au quotidien dans maintes situations, de l'art subtil de la galanterie envers la femme de sa vie aux catastrophes aériennes en passant par l'aptitude à esquiver une balle. Il est certain que le danger n'est pas tapi dans chaque recoin, mais on ne sait jamais où et quand il va surgir. Alors, quand il paraît, les gens ont besoin d'un héros, et en ces heures sombres, vous serez paré. Vous n'aurez qu'à avancer bravement, le pas déterminé, le regard d'acier, et tout arranger.

INDEX